bibliolycée

D0187634

Le Cid

Corneille

Notes, questionnaires et synthèses
par Anne AUTIQUET,
agrégée de Lettres classiques,
professeur en I.U.F.M.,
et Armelle VAUTROT-ALLÉGRET,
certifiée de Lettres modernes,
formatrice I.U.F.M. et conseillère pédagogique.

Texte conforme à l'édition de 1682.

Crédits photographiques
p. 4 : photo Photothèque Hachette. **p. 5 :** paroles de Du Camp et musique de Luigi Borgès, photo Photothèque Hachette. **pp. 9, 12, 14, 38, 41, 51, 58, 60, 87, 102, 105, 121, 133, 135, 153 :** illustration de la scène 3 de l'acte I, gravure de Noël Le Mire (1762), d'après un dessin de Hubert Gravelot, photo Photothèque Hachette. **p. 48 :** photo Specto / Philippe Coqueux. **p. 50 :** photo Rapho / Photothèque Hachette. **p. 68 :** photo Ioda / Le Douarec. **pp. 72, 99 :** photos Enguerand. **p. 104 :** photo Photothèque Hachette. **p. 129 :** photo agence Bernand. **p. 143 :** photo Imperial War Museum. **p. 152 :** photo Manuel frères / Photothèque Hachette. **pp. 177, 184, 198 :** photos Photothèque Hachette. **p. 210 :** photo collection Christophel. **p. 213 :** photo Enguerand.

Conception graphique
Couverture : *Laurent Carré*
Intérieur : *ELSE*

Mise en page
MCP

Dossier pédagogique : www.hachette-education.com

ISBN 2.01.169121.4
© Hachette Livre, 2005, 43 quai de Grenelle, 75905 Paris Cedex 15.

sommaire

**Pierre Corneille (1606-1684),
sanguine de Gaston Morel (1895).**

PRÉSENTATION

Lorsque *Le Cid* est joué pour la première fois en janvier 1637 au théâtre du Marais, c'est un triomphe. Cette œuvre naît sous le signe de la jeunesse, celle de ses protagonistes*, Rodrigue et Chimène, et celle de son auteur, Pierre Corneille, qui a 30 ans. L'intrigue* romanesque est inspirée du roman de chevalerie, avec son code de l'amour courtois qui fascinait les contemporains de Corneille dans l'*Astrée* d'Honoré d'Urfé et dans le théâtre espagnol qui lui a fourni son sujet. Amours contrariées et exploits héroïques sont les ingrédients qui pouvaient frapper l'imagination de spectateurs sensibles au goût baroque* de ce début de siècle et à la vogue récente de la tragi-comédie. « Cela est beau comme *Le Cid* » devint un proverbe à la mode. Autant dire que cette tragi-comédie, rebaptisée « tragédie » en 1648, marqua un tournant dans la carrière de son auteur comme dans l'histoire du théâtre. Mais cette pièce à succès subit, dès sa création, l'une des controverses les plus vives de l'histoire littéraire. On cria à l'impudeur et à la vraisemblance bafouée. Corneille

Version musicale du *Cid*, illustration romantique de Célestin Nanteuil.

5

* *Cf.* Lexique.

retoucha deux fois son œuvre tout en la défendant. À la charnière du baroque* et du classicisme, ce texte porte en lui les strates d'une des mutations les plus importantes de son siècle. Adaptation de la littérature espagnole à la scène française, lieu de l'édification du classicisme, lieu du passage de la tragi-comédie à la tragédie et de la gestation du héros cornélien, représentation des comportements aristocratiques face à la constitution de la monarchie absolue, *Le Cid* donna à Corneille l'occasion de composer une magistrale théorie dramatique* dans son édition de 1660.

Ce drame du conflit entre l'amour et les contraintes du devoir moral et politique a de quoi émouvoir encore et donner à penser. La société féodale ne fait plus autant rêver mais les valeurs chevaleresques de l'héroïsme* et les amours contrariées restent des thématiques centrales dans la littérature ou le cinéma et elles résonnent encore dans notre société actuelle.

Rodrigue et Chimène ont pris depuis des années les traits des plus grandes figures du théâtre et du cinéma, de Gérard Philipe et Maria Casarès à Francis Huster et Cristiana Reali, en passant par la version hollywoodienne avec Charlton Heston et Sophia Loren. Après les mises en scène de Jean Vilar et de Francis Huster, les amours impossibles des deux jeunes amants ont même inspiré une audacieuse mise en scène flamenco à Thomas Le Douarec, où la sensualité le dispute à la passion, sur fond de tauromachie. La pérennité du *Cid* n'est pas près de cesser, et nombre de vers suscitent toujours la même émotion. En effet, qui ne murmure encore avec Chimène : « *Va, je ne te hais point* » ?

* *Cf.* Lexique.

Le Cid

TRAGI-COMÉDIE

Pierre Corneille

Personnages

DON[1] FERNAND, premier roi de Castille (Ferdinand Ier le Grand, mort en 1065).

DOÑA URRAQUE, Infante de Castille, fille de Don Fernand.

DON DIÈGUE, père de Don Rodrigue.

DON GOMÈS, comte de Gormas, père de Chimène.

DON RODRIGUE, amant de Chimène (Ruy Diaz de Bivar).

DON SANCHE, amoureux de Chimène.

DON ARIAS, DON ALONSE : gentilshommes castillans.

CHIMÈNE, fille de Don Gomès.

LÉONOR, gouvernante de l'Infante.

ELVIRE, gouvernante de Chimène.

Un page de l'Infante.

La scène est à Séville : « Tout s'y passe donc dans Séville, et garde ainsi quelque espèce d'unité de lieu en général ; mais le lieu particulier change de scène en scène, et tantôt c'est le palais du Roi, tantôt l'appartement de l'Infante, tantôt la maison de Chimène, et tantôt une rue ou place publique » (Corneille, *Examen* de la pièce, 1660).

note

1. **Don** : titre des nobles espagnols (féminin : *doña*).

Acte 1

Scène première   CHIMÈNE, ELVIRE

CHIMÈNE
Elvire, m'as-tu fait un rapport bien sincère ?
Ne déguises-tu rien de ce qu'a dit mon père ?

ELVIRE
Tous mes sens à[1] moi-même en sont encor charmés[2] :
Il estime Rodrigue autant que vous l'aimez,
5 Et si je ne m'abuse à lire[3] dans son âme,
Il vous commandera de répondre à sa flamme[4].

CHIMÈNE
Dis-moi donc, je te prie, une seconde fois
Ce qui te fait juger qu'il approuve mon choix :
Apprends-moi de nouveau quel espoir j'en dois prendre[5] ;
10 Un si charmant discours ne se peut trop entendre ;

passage analysé

Notes

1. **à :** en.
2. **charmés :** envoûtés comme par un charme.
3. **à lire :** en lisant.
4. **flamme :** amour.
5. **en [...] prendre :** en concevoir.

Tu ne peux trop promettre aux feux de notre amour
La douce liberté de se montrer au jour.
Que t'a-t-il répondu sur la secrète brigue[1]
Que font auprès de toi don Sanche et don Rodrigue ?
15 N'as-tu point trop fait voir quelle inégalité
Entre ces deux amants[2] me penche[3] d'un côté ?

ELVIRE
Non ; j'ai peint votre cœur dans une indifférence
Qui n'enfle d'aucun d'eux ni détruit l'espérance[4],
Et sans les voir d'un œil trop sévère ou trop doux
20 Attend l'ordre d'un père à[5] choisir un époux.
Ce respect l'a ravi, sa bouche et son visage
M'en ont donné sur l'heure un digne[6] témoignage,
Et puisqu'il vous en faut encor[7] faire un récit,
Voici d'eux et de vous ce qu'en hâte il m'a dit :
25 « Elle est dans le devoir ; tous deux sont dignes d'elle,
Tous deux formés d'un sang[8] noble, vaillant, fidèle,
Jeunes, mais qui font lire aisément dans leurs yeux
L'éclatante vertu[9] de leurs braves aïeux.
Don Rodrigue surtout n'a trait[10] en son visage
30 Qui d'un homme de cœur[11] ne soit la haute image,
Et sort d'une maison[12] si féconde en guerriers,
Qu'ils y prennent naissance au milieu des lauriers[13].
La valeur de son père, en son temps sans pareille,
Tant qu'a duré sa force, a passé pour merveille ;
35 Ses rides sur son front ont gravé ses exploits,
Et nous disent encor ce qu'il fut autrefois.

passage analysé

notes

1. brigue : intrigue amoureuse ; sollicitations.
2. amants : ici, prétendants.
3. me penche : me fait pencher.
4. qui [...] espérance : qui n'encourage ni ne détruit l'espérance d'aucun d'eux.
5. à : pour.
6. digne : digne de foi.
7. encor : encore.

8. sang : famille, lignée.
9. vertu : force morale, mérite.
10. n'a trait : n'a pas un seul trait.
11. de cœur : courageux, valeureux.
12. maison : famille.
13. lauriers : couronnes de lauriers, symbole des victoires militaires.

Je me promets du fils ce que j'ai vu du père ;
Et ma fille, en un mot, peut l'aimer et me plaire. »
Il allait au conseil, dont l'heure qui pressait
40 A tranché ce discours qu'à peine il commençait ;
Mais à ce peu de mots je crois que sa pensée
Entre vos deux amants n'est pas fort balancée[1].
Le roi doit à son fils élire un gouverneur[2],
Et c'est lui[3] que regarde un tel degré d'honneur :
45 Ce choix n'est pas douteux, et sa rare vaillance
Ne peut souffrir[4] qu'on craigne aucune concurrence.
Comme ses hauts exploits le rendent sans égal,
Dans un espoir si juste il sera sans rival ;
Et puisque don Rodrigue a résolu son père
50 Au sortir du conseil à proposer l'affaire[5],
Je vous laisse à juger s'il prendra bien son temps[6],
Et si tous vos désirs seront bientôt contents[7].

CHIMÈNE
Il semble toutefois que mon âme troublée
Refuse cette joie et s'en trouve accablée :
55 Un moment donne au sort des visages divers[8],
Et dans ce grand bonheur je crains un grand revers.

ELVIRE
Vous verrez cette crainte heureusement déçue.

CHIMÈNE
Allons, quoi qu'il en soit, en[9] attendre l'issue.

suite, p. 24

passage analysé

---

notes

1. **balancée** : hésitante.
2. **élire un gouverneur** : choisir un précepteur.
3. **lui** : le père de Chimène.
4. **souffrir** : supporter.
5. **proposer l'affaire** : faire sa demande en mariage.

6. **prendra bien son temps** : saisira le moment favorable.
7. **contents** : satisfaits, comblés.
8. **visages divers** : aspects contraires.
9. **en** : du conseil et de la demande en mariage.

Dans le manuscrit 559 de la Bibliothèque nationale (auteur anonyme, première moitié du XVIIIe siècle), cité par Jacques Scherer dans *La Dramaturgie classique en France*, l'exposition* est définie comme devant « *instruire le spectateur du sujet et de ses principales circonstances, du lieu de la scène et même de l'heure où commence l'action, du nom, de l'état, du caractère et des intérêts de tous les principaux personnages* ». L'exposition relève en quelque sorte de la rhétorique* incontournable du discours dramatique*.

La première scène du *Cid* met en scène Chimène et sa gouvernante, qui est aussi sa confidente ; le personnage éponyme* n'est présent ici que dans la bouche de celle qui l'aime. En cela, la scène contribue à nous figurer ce qui préexiste à l'exposition (relations entre les principaux personnages, conflits intérieurs), afin de nous faciliter l'entrée dans l'intrigue* tragique.

Cette scène trouve un écho dans la suivante, où sont présentes l'Infante et Léonor, sa gouvernante : le point de vue se déplace d'un duo de femmes à un autre, l'information progresse et nous prépare à l'entrée de Rodrigue à la scène 5.

L'avant-exposition

❶ Que s'est-il passé avant le lever de rideau ?
❷ Quelles sont les relations entre Chimène et Elvire ?
❸ Peut-on dire que, dans cette scène, Elvire a quelque ascendant sur Chimène ?
❹ Comparez cette scène avec la scène suivante : que remarquez-vous ?

* *Cf*. Lexique.

La présentation des personnages

❺ Comment se révèle Chimène à travers ses répliques* ? Appuyez-vous sur les types de phrases*, le lexique et la versification*.

❻ Quels personnages sont évoqués dans cette conversation ? Que sait-on sur eux ?

❼ Comment les deux prétendants sont-ils mis en parallèle ?

La mise en place de l'intrigue* tragique

❽ Sur quel événement semble ici reposer l'intrigue de la tragi-comédie ? Quelles attentes cela provoque-t-il chez le spectateur ?

❾ Quel autre événement semble cependant se greffer sur l'intrigue amoureuse ? D'autres attentes peuvent-elles en découler ?

❿ Quelle issue à la pièce se dessine, selon vous, en filigrane, dans les propos de Chimène ?

* Cf. Lexique.

L'exposition : nécessité ou artifice dramatique ?

Lectures croisées et travaux d'écriture

Puisque la dramaturgie* classique obéit à des contraintes formelles, esthétiques et morales, l'exposition* est donc aussi soumise à des règles*, définies entre autres par Nicolas Boileau dans son *Art poétique* (1674) : « *Que dès les premiers vers l'action préparée / Sans peine du sujet aplanisse l'entrée / [...] Le sujet n'est jamais assez tôt expliqué* » (chant III). On s'accorde alors à faire commencer l'exposition à la première scène, mais la limite finale est sujet à débat. Pour Pierre Corneille, elle doit s'achever à la fin du premier acte, qui contient « *les semences de tout ce qui doit arriver, tant pour l'action principale que pour les épisodiques, en sorte qu'il n'entre aucun acteur dans les actes suivants qui ne soit connu par ce premier, ou du moins ait été appelé par quelqu'un qui y aura été introduit* ».

On peut cependant se demander si, en tant que « *partie constitutive de la pièce* » (pour reprendre les termes d'Aristote), l'exposition est absolument nécessaire à l'équilibre formel, et surtout si elle est indispensable à la compréhension de l'intrigue* et à la construction des personnages.

Les textes suivants offrent des exemples plus ou moins conventionnels d'expositions : personnages en situation de dialogue ou matérialisation du prologue, présence ou absence de didascalies*. Il s'agit ensuite d'en analyser l'efficacité dramatique*.

Texte A : Scène 1 de l'acte I du *Cid* de Corneille (pp. 9 à 11)

Texte B : Molière, *Le Tartuffe*
Le Tartuffe est sans doute l'une des pièces les plus contestées de Molière. Il lui faudra attendre cinq années pour réussir à la faire jouer, tant les dévots se sont évertués à la faire interdire en intriguant auprès du roi. Ces cinq

* *Cf.* Lexique.

*années de négociation ne seront pas perdues car elles verront naître **Dom Juan** et **Le Misanthrope**, pièces qui dénoncent aussi l'hypocrisie. Le personnage de Tartuffe jouit d'une entrée sur scène très originale : il n'arrive qu'au troisième acte – ce qui est tout à fait inédit pour un personnage éponyme*. Il est donc intéressant de voir comment ce personnage existe à travers les répliques* des autres.*

SCÈNE PREMIÈRE. Madame Pernelle et Flipote sa servante, Elmire, Mariane, Dorine, Damis, Cléante.

Madame Pernelle
Allons, Flipote, allons, que d'eux je me délivre.
Elmire
Vous marchez d'un tel pas qu'on a peine à vous suivre.
Madame Pernelle
Laissez, ma bru, laissez, ne venez pas plus loin :
Ce sont toutes façons dont je n'ai pas besoin.
Elmire
De ce que l'on vous doit envers vous on s'acquitte.
Mais, ma mère, d'où vient que vous sortez si vite ?
Madame Pernelle
C'est que je ne puis voir tout ce ménage-ci,
Et que de me complaire on ne prend nul souci.
Oui, je sors de chez vous fort mal édifiée[1] :
Dans toutes mes leçons j'y suis contrariée,
On n'y respecte rien, chacun y parle haut,
Et c'est tout justement la cour du roi Pétaut[2].
Dorine
Si...
Madame Pernelle
    Vous êtes, mamie[3], une fille suivante[4]
Un peu trop forte en gueule, et fort impertinente :
Vous vous mêlez sur tout de dire votre avis.
Damis
Mais...
Madame Pernelle
     Vous êtes un sot en trois lettres, mon fils.
C'est moi qui vous le dis, qui suis votre grand-mère ;
Et j'ai prédit cent fois à mon fils, votre père,

* *Cf.* Lexique

Que vous preniez tout l'air d'un méchant garnement,
Et ne lui donneriez jamais que du tourment.

MARIANE

Je crois...

MADAME PERNELLE

       Mon Dieu, sa sœur, vous faites la discrète[5],
Et vous n'y touchez pas, tant vous semblez doucette ;
Mais il n'est, comme on dit, pire eau que l'eau qui dort,
Et vous menez sous chape[6] un train[7] que je hais fort.

ELMIRE

Mais, ma mère...

MADAME PERNELLE

       Ma bru, qu'il ne vous en déplaise,
Votre conduite en tout est tout à fait mauvaise ;
Vous devriez leur mettre un bon exemple aux yeux,
Et leur défunte mère en usait beaucoup mieux.
Vous êtes dépensière ; et cet état[8] me blesse,
Que vous alliez vêtue ainsi qu'une princesse.
Quiconque à son mari veut plaire seulement,
Ma bru, n'a pas besoin de tant d'ajustement.

CLÉANTE

Mais, Madame, après tout...

MADAME PERNELLE

       Pour vous, Monsieur son frère,
Je vous estime fort, vous aime, et vous révère ;
Mais enfin, si j'étais de mon fils son époux,
Je vous prierais bien fort de n'entrer point chez nous.
Sans cesse vous prêchez des maximes de vivre
Qui par d'honnêtes gens ne se doivent point suivre.
Je vous parle un peu franc ; mais c'est là mon humeur,
Et je ne mâche point ce que j'ai sur le cœur.

DAMIS

Votre Monsieur Tartuffe est bien heureux sans doute...

MADAME PERNELLE

C'est un homme de bien, qu'il faut que l'on écoute ;
Et je ne puis souffrir sans me mettre en courroux[9]
De le voir querellé par un fou comme vous.

DAMIS

Quoi ? Je souffrirai, moi, qu'un cagot[10] de critique
Vienne usurper céans[11] un pouvoir tyrannique,
Et que nous ne puissions à rien nous divertir,
Si ce beau Monsieur-là n'y daigne consentir ?

DORINE

S'il le faut écouter et croire à ses maximes,
On ne peut faire rien qu'on ne fasse des crimes ;
Car il contrôle tout, ce critique zélé.

MADAME PERNELLE

Et tout ce qu'il contrôle est fort bien contrôlé.
C'est au chemin du Ciel qu'il prétend vous conduire,
Et mon fils à l'aimer vous devrait tous induire.

DAMIS

Non, voyez-vous, ma mère, il n'est père ni rien
Qui me puisse obliger à lui vouloir du bien :
Je trahirais mon cœur de parler d'autre sorte ;
Sur ses façons de faire à tous coups je m'emporte ;
J'en prévois une suite, et qu'avec ce pied plat[12]
Il faudra que j'en vienne à quelque grand éclat.

DORINE

Certes, c'est une chose aussi qui scandalise,
De voir qu'un inconnu céans s'impatronise[13],
Qu'un gueux[14], qui, quand il vint, n'avait pas de souliers
Et dont l'habit entier valait bien six deniers,
En vienne jusque-là que de se méconnaître,
De contrarier tout, et de faire le maître.

MADAME PERNELLE

Hé ! Merci de ma vie ![15] Il en irait bien mieux,
Si tout se gouvernait par ses ordres pieux.

DORINE

Il passe pour un saint dans votre fantaisie :
Tout son fait[16], croyez-moi, n'est rien qu'hypocrisie.

MADAME PERNELLE

Voyez la langue !

Molière, *Le Tartuffe*, extrait de la scène 1 de l'acte I, 1664.

1. **édifiée** : incitée à la vertu. 2. **la cour du roi Pétaut** : ce roi aurait été le roi des mendiants et, à sa Cour, chacun y discutait les ordres du roi (en argot, ce nom a donné le terme de *pétaudière*). 3. **mamie** : mon amie. 4. **une fille suivante** : une domestique.

5. discrette : orthographe de *discrète* choisie pour assurer la rime pour l'œil avec
« doucette ». **6. sous chape** : secrètement (on dit aujourd'hui « sous cape »).
7. train : manière de se comporter. **8. état** : toilette. **9. courroux** : colère. **10. cagot** : bigot,
faux dévot. **11. céans** : ici, dedans. **12. pied plat** : qui ne porte pas de talons, donc paysans.
13. s'impatronise : s'établit comme chez soi. **14. gueux** : pauvre, misérable.
15. Merci de ma vie ! : exclamation des femmes du peuple marquant l'indignation ou
l'impatience. **16. fait** : comportement, attitude.

Texte C : Jean Anouilh, *Antigone*

*Jean Anouilh (1910-1987) vit naître sa vocation d'auteur dramatique en
assistant à une représentation du **Siegfried** de Giraudoux en 1928, alors
qu'il n'était encore qu'adolescent. Souvent qualifié « d'auteur de théâtre
de distraction », il s'inspire cependant en 1944 de Sophocle et reprend le
mythe d'Antigone en le transposant à l'époque moderne. L'extrait suivant
se situe au tout début de la pièce. Lors de la première représentation, c'est
l'auteur lui-même qui tenait le rôle du Prologue, personnage chargé de
présenter les protagonistes* et d'exposer l'intrigue*.*

*Un décor neutre. Trois portes semblables. Au lever de rideau, tous les
personnages sont en scène. Ils bavardent, tricotent, jouent aux cartes. Le
Prologue se détache et s'avance.*

LE PROLOGUE :
Voilà. Ces personnages vont vous jouer l'histoire d'Antigone. Antigone,
c'est la petite maigre qui est assise là-bas et qui ne dit rien. Elle regarde
droit devant elle. Elle pense. Elle pense qu'elle va être Antigone tout à
l'heure, qu'elle va surgir soudain de la maigre jeune fille noiraude et
renfermée que personne ne prenait au sérieux dans la famille et se dresser
seule en face du monde, seule en face de Créon, son oncle, qui est le roi.
Elle pense qu'elle va mourir, qu'elle est jeune et qu'elle aussi, elle aurait
bien aimé vivre. Mais il n'y a rien à faire. Elle s'appelle Antigone et il va
falloir qu'elle joue son rôle jusqu'au bout... Et, depuis que ce rideau s'est
levé, elle sent qu'elle s'éloigne à une vitesse vertigineuse de sa sœur
Ismène, qui bavarde et rit avec un jeune homme, de nous tous, qui
sommes là bien tranquilles à la regarder, de nous qui n'avons pas à mourir
ce soir.

Le jeune homme avec qui parle la blonde, la belle, l'heureuse Ismène, c'est
Hémon, le fils de Créon. Il est le fiancé d'Antigone. Tout le portait vers
Ismène : son goût de la danse et des jeux, son goût du bonheur et de la
réussite, sa sensualité aussi, car Ismène est bien plus jolie qu'Antigone, et
puis un soir, un soir de bal où il n'avait dansé qu'avec Ismène, un soir où

* Cf. Lexique

Ismène avait été éblouissante dans sa nouvelle robe, il a été trouver Antigone, qui rêvait dans un coin, comme en ce moment, ses bras entourant ses genoux, et lui a demandé d'être sa femme. Personne n'a jamais compris pourquoi. Antigone a levé sans étonnement ses yeux graves sur lui et elle lui a dit « oui » avec un petit sourire triste... L'orchestre attaquait une nouvelle danse, Ismène riait aux éclats, là-bas, au milieu des autres garçons, et voilà, maintenant, lui, il allait être le mari d'Antigone. Il ne savait pas qu'il ne devrait jamais exister de mari d'Anti-gone sur cette terre et que ce titre princier lui donnait seulement le droit de mourir.

Cet homme robuste, aux cheveux blancs, qui médite là, près de son page, c'est Créon. C'est le roi. Il a des rides, il est fatigué. Il joue au jeu difficile de conduire les hommes. Avant, du temps d'Œdipe, quand il n'était que le premier personnage de la Cour, il aimait la musique, les belles reliures, les longues flâneries chez les petits antiquaires de Thèbes. Mais Œdipe et ses fils sont morts. Il a laissé ses livres, ses objets, il a retroussé ses manches et il a pris leur place.

Quelquefois, le soir, il est fatigué, et il se demande s'il n'est pas vain de conduire les hommes. Si cela n'est pas un office sordide qu'on doit laisser à d'autres, plus frustes[1]... Et puis, au matin, des problèmes précis se posent, qu'il faut résoudre, et il se lève, tranquille, comme un ouvrier au seuil de sa journée.

La vieille dame qui tricote, à coté de la nourrice qui a élevé les deux petites, c'est Eurydice, la femme de Créon. Elle tricotera pendant toute la tragédie jusqu'à ce que son tour vienne de se lever et de mourir. Elle est bonne, digne, aimante. Elle ne lui est d'aucun secours. Créon est seul. Seul avec son petit page qui est trop petit et qui ne peut rien non plus pour lui. Ce garçon pâle, là-bas, qui rêve adossé au mur, c'est le Messager. C'est lui qui viendra annoncer la mort d'Hémon tout à l'heure. C'est pour cela qu'il n'a pas envie de bavarder ni de se mêler aux autres... Il sait déjà...

Enfin les trois hommes rougeauds qui jouent aux cartes, leur chapeau sur la nuque, ce sont les gardes. Ce ne sont pas de mauvais bougres, ils ont des femmes, des enfants, et des petits ennuis comme tout le monde, mais ils vous empoigneront les accusés le plus tranquillement du monde tout à l'heure. Ils sentent l'ail, le cuir et le vin rouge et ils sont dépourvus de toute imagination. Ce sont les auxiliaires, toujours innocents et satisfaits d'eux-mêmes, de la justice. Pour le moment, jusqu'à ce qu'un nouveau chef de

Thèbes dûment mandaté leur ordonne de l'arrêter à son tour, ce sont les auxiliaires de la justice de Créon.

Et maintenant que vous les connaissez tous, ils vont pouvoir vous jouer leur histoire. Elle commence au moment où les deux fils d'Œdipe, Étéocle et Polynice, qui devaient régner sur Thèbes un an chacun à tour de rôle, se sont battus et entre-tués sous les murs de la ville, Étéocle, l'aîné, au terme de la première année de pouvoir ayant refusé de céder la place à son frère. Sept grands princes étrangers que Polynice avait gagnés à sa cause ont été défaits devant les sept portes de Thèbes. Maintenant la ville est sauvée, les deux frères ennemis sont morts, et Créon, le roi, a ordonné qu'à Étéocle, le bon frère, il serait fait d'imposantes funérailles, mais que Polynice, le vaurien, le révolté, le voyou, serait laissé sans pleurs et sans sépulture, la proie des corbeaux et des chacals. Quiconque osera lui rendre les devoirs funèbres sera impitoyablement puni de mort.

Jean Anouilh, *Antigone*, prologue, La Table ronde, 1946.

1. **frustes** : rustres, grossiers.

Texte D : Yasmina Reza, *Art*

Après un diplôme d'études théâtrales à Nanterre, Yasmina Reza (née en 1959) fait ses débuts d'actrice puis se lance dans l'écriture. Elle obtient, en 1987, son premier succès avec Conversations après un enterrement, *pièce écrite en six mois et mise en scène par Patrice Kerbrat, avec Pierre Vaneck notamment. Viennent ensuite* La Traversée de l'hiver *et* L'Homme du hasard. *En 1994, elle crée* Art, *pièce écrite en un mois et demi à la demande de ses amis Pierre Vaneck et Pierre Arditi. Elle écrit un rôle pour chacun d'eux mais aussi pour Fabrice Luchini. La pièce va triompher dans le monde entier.*

MARC, *seul.*
MARC. Mon ami Serge a acheté un tableau.

C'est une toile d'environ un mètre soixante sur un mètre vingt, peinte en blanc. Le fond est blanc et, si on cligne des yeux, on peut apercevoir de fins liserés blancs transversaux.

Mon ami Serge est un ami depuis longtemps.

C'est un garçon qui a bien réussi, il est médecin dermatologue et il aime l'*art*.

Lundi, je suis allé voir le tableau que Serge avait acquis samedi mais qu'il convoitait depuis plusieurs mois.

Un tableau blanc, avec des liserés blancs.

Chez Serge.
Posée à même le sol, une toile blanche, avec de fins liserés blancs transversaux.
Serge regarde, réjoui, son tableau.
Marc regarde le tableau.
Serge regarde Marc qui regarde le tableau.
Un long temps où tous les sentiments se traduisent sans mot.
MARC. Cher ?
SERGE. Deux cent mille.
MARC. Deux cent mille ?...
SERGE. Handtington me le reprend à vingt-deux.
MARC. Qui est-ce ?
SERGE. Handtington ?!
MARC. Connais pas.
SERGE. Handtington ! La galerie Handtington !
MARC. La galerie Handtington te le reprend à vingt-deux ?...
SERGE. Non, pas la galerie. Lui. Handtington lui-même. Pour lui.
MARC. Et pourquoi ce n'est pas Handtington qui l'a acheté ?
SERGE. Parce que tous ces gens ont intérêt à vendre à des particuliers. Il faut que le marché circule.
MARC. Ouais...
SERGE. Alors ?
MARC. ...
SERGE. Tu n'es pas bien là. Regarde-le d'ici. Tu aperçois les lignes ?
MARC. Comment s'appelle le...
SERGE. Peintre. Antrios.
MARC. Connu ?
SERGE. Très. Très !
Un temps.
MARC. Serge, tu n'as pas acheté ce tableau deux cent mille francs ?
SERGE. Mais, mon vieux, c'est le prix. C'est un ANTRIOS !
MARC. Tu n'as pas acheté ce tableau deux cent mille francs !
SERGE. J'étais sûr que tu passerais à côté.
MARC. Tu as acheté cette merde deux cent mille francs ?!
Serge, comme seul.
SERGE. Mon ami Marc, qui est un garçon intelligent, garçon que j'estime depuis longtemps, belle situation, ingénieur dans l'aéronautique, fait

partie de ces intellectuels, nouveaux, qui, non contents d'être ennemis de la modernité, en tirent une vanité incompréhensible.

Il y a depuis peu, chez l'adepte du bon vieux temps, une arrogance vraiment stupéfiante.

Yasmina Reza, « Art », in *Théâtre*, Albin Michel, 1994.

Corpus

Texte A : Scène 1 de l'acte I du *Cid* de Pierre Corneille (pp. 9-11).
Texte B : Extrait de la scène 1 de l'acte I du *Tartuffe* de Molière (pp. 14-18).
Texte C : Prologue d'*Antigone* de Jean Anouilh (pp. 18-20).
Texte D : Extrait d'*Art* de Yasmina Reza (pp. 20-22).

Examen des textes

❶ Dans les textes A et B, quelles informations sont données par les personnages présents sur scène ?

❷ En quoi la stratégie du prologue d'*Antigone* (texte C) se démarque-t-elle de celle des textes précédents ? De quelle manière ce texte remplit-il malgré tout la fonction de l'exposition* ?

❸ En quoi le texte D se distingue-t-il des trois autres (types de répliques*, gestion de la parole de chaque personnage...) ?

❹ L'extrait d'*Art* (texte D) reprend-il cependant des caractéristiques formelles traditionnelles du théâtre ?

❺ Comment chacun des quatre extraits parvient-il à nous présenter les personnages qui vont par la suite dominer l'action ?

❻ Quel est le rôle des didascalies* initiales et internes dans ces quatre extraits ?

Travaux d'écriture

Question préliminaire
En quoi ces débuts de pièces sont-ils représentatifs de l'exposition au théâtre tout en étant très différents formellement les uns des autres ?

* *Cf.* Lexique.

Commentaire

Vous ferez le commentaire de l'extrait d'*Antigone* de Jean Anouilh (texte C).

Dissertation

La scène d'exposition* vous semble-t-elle indispensable dans le discours dramatique* ? Vous vous appuierez, pour répondre, sur les textes du corpus mais aussi sur vos lectures personnelles et vos expériences de spectateur(trice).

Écriture d'invention

Réécrivez le début d'*Art* en imaginant un prologue qui prendrait ouvertement en charge l'exposition.

Vous aurez soin d'utiliser les caractéristiques du prologue (qui est en scène et comment ?) et de l'exposition (présentation des personnages, du lieu de l'action, de l'intrigue*...).

* *Cf.* Lexique.

Scène 2   L'INFANTE, LÉONOR, UN PAGE

(Chez l'Infante.)

L'INFANTE
Page, allez avertir Chimène de ma part
60 Qu'aujourd'hui pour me voir elle attend un peu tard,
Et que mon amitié se plaint de sa paresse.

(Le page rentre[1].)

LÉONOR
Madame, chaque jour même désir vous presse ;
Et dans son entretien[2] je vous vois chaque jour
Demander en quel point se trouve son amour.

L'INFANTE
65 Ce n'est pas sans sujet : je l'ai presque forcée
À recevoir les traits[3] dont son âme est blessée.
Elle aime don Rodrigue, et le tient de ma main,
Et par moi don Rodrigue a vaincu son dédain :
Ainsi de ces amants ayant formé les chaînes,
70 Je dois prendre intérêt à voir finir leurs peines.

LÉONOR
Madame, toutefois parmi leurs bons succès[4],
Vous montrez un chagrin qui va jusqu'à l'excès.
Cet amour, qui tous deux les comble d'allégresse,
Fait-il de ce grand cœur[5] la profonde tristesse,
75 Et ce grand intérêt que vous prenez pour eux
Vous rend-il malheureuse alors qu'ils sont heureux ?
Mais je vais trop avant et deviens indiscrète.

notes

1. *rentre* : rentre dans les coulisses, sort de scène.
2. *son entretien* : vos entretiens avec elle.
3. *traits* : flèches de Cupidon, dieu de l'Amour ; atteintes de l'amour.
4. *parmi leurs bons succès* : au milieu de leur bonheur.
5. *ce grand cœur* : celui de l'Infante.

L'INFANTE

Ma tristesse redouble à la tenir secrète.
Écoute, écoute enfin comme j'ai combattu,
80 Écoute quels assauts brave encor ma vertu.
L'amour est un tyran qui n'épargne personne :
Ce jeune cavalier[1], cet amant que je donne,
Je l'aime.

LÉONOR
      Vous l'aimez !

L'INFANTE
             Mets la main sur mon cœur,
Et vois comme il se trouble au nom de son vainqueur,
85 Comme il le reconnaît.

LÉONOR
           Pardonnez-moi, Madame,
Si je sors du respect pour blâmer cette flamme,
Une grande princesse à ce point s'oublier
Que[2] d'admettre en son cœur un simple cavalier !
Et que dirait le Roi ? que dirait la Castille ?
90 Vous souvient-il encor de qui vous êtes fille ?

L'INFANTE

Il m'en souvient si bien que j'épandrai mon sang
Avant que je m'abaisse à démentir[3] mon rang.
Je te répondrais bien que dans les belles âmes
Le seul mérite a droit de produire des flammes ;
95 Et si ma passion cherchait à s'excuser,
Mille exemples fameux pourraient l'autoriser ;
Mais je n'en veux point suivre où ma gloire[4] s'engage[5] ;

otes ....

1. **cavalier** : gentilhomme, chevalier.
2. **à ce point s'oublier que** : oublier son rang au point.
3. **démentir** : renier, trahir.
4. **gloire** : estime de soi, réputation.
5. **s'engage** : coure un risque.

La surprise des sens[1] n'abat point mon courage ;
Et je me dis toujours qu'étant fille de roi,
100 Tout autre qu'un monarque est indigne de moi.
Quand je vis que mon cœur ne se pouvait défendre,
Moi-même je donnai ce que je n'osai prendre.
Je mis, au lieu de moi, Chimène en ses liens,
Et j'allumai leurs feux pour éteindre les miens.
105 Ne t'étonne donc plus si mon âme gênée[2]
Avec impatience attend leur hyménée[3] :
Tu vois que mon repos en dépend aujourd'hui.
Si l'amour vit d'espoir, il périt avec lui :
C'est un feu qui s'éteint, faute de nourriture ;
110 Et malgré la rigueur de ma triste aventure,
Si Chimène a jamais Rodrigue pour mari,
Mon espérance est morte, et mon esprit guéri.
Je souffre cependant un tourment incroyable :
Jusques à cet hymen Rodrigue m'est aimable[4] ;
115 Je travaille à le perdre, et le perds à regret ;
Et de là prend son cours mon déplaisir[5] secret.
Je vois avec chagrin que l'amour me contraigne[6]
À pousser des soupirs pour ce que je dédaigne ;
Je sens en deux partis mon esprit divisé :
120 Si mon courage est haut, mon cœur est embrasé ;
Cet hymen m'est fatal[7], je le crains et souhaite :
Je n'ose en espérer qu'une joie imparfaite.
Ma gloire et mon amour ont pour moi tant d'appas[8],
Que je meurs s'il s'achève ou ne s'achève pas[9].

notes

1. **surprise des sens** : amour.
2. **gênée** : torturée.
3. **hyménée** : hymen, mariage.
4. **aimable** : digne d'être aimé.
5. **déplaisir** : douleur, désespoir.

6. **me contraigne** : me contraint.
7. **fatal** : mortel, qui provoque la mort.
8. **appas** : attraits.
9. **s'il s'achève ou ne s'achève pas** : que ce mariage se conclue ou non.

LÉONOR

25 Madame, après cela je n'ai rien à vous dire,
Sinon que de vos maux avec vous je soupire :
Je vous blâmais tantôt, je vous plains à présent ;
Mais puisque dans un mal si doux et si cuisant[1]
Votre vertu combat et son charme[2] et sa force,
30 En repousse l'assaut, en rejette l'amorce[3],
Elle rendra le calme à vos esprits flottants[4].
Espérez donc tout d'elle, et du secours du temps ;
Espérez tout du Ciel : il a trop de justice
Pour laisser la vertu dans un si long supplice.

L'INFANTE

35 Ma plus douce espérance est de perdre l'espoir.

LE PAGE

Par vos commandements Chimène vous vient voir.

L'INFANTE, à Léonor.

Allez l'entretenir en cette galerie.

LÉONOR

Voulez-vous demeurer dedans[5] la rêverie ?

L'INFANTE

Non, je veux seulement, malgré mon déplaisir,
40 Remettre mon visage[6] un peu plus à loisir.
Je vous suis. Juste Ciel, d'où j'attends mon remède,
Mets enfin quelque borne au mal qui me possède :
Assure mon repos, assure mon honneur.
Dans le bonheur d'autrui je cherche mon bonheur :
45 Cet hyménée à trois également importe[7] ;

---

notes

1. **cuisant** : douloureux.
2. **charme** : puissance ensorcelante.
3. **amorce** : appât.
4. **flottants** : troublés.
5. **dedans** : dans.

6. **remettre mon visage** : rendre son calme à mon visage.
7. **à trois également importe** : a la même importance pour trois personnes.

Rends son effet[1] plus prompt, ou mon âme plus forte.
D'un lien conjugal joindre ces deux amants,
C'est briser tous mes fers[2] et finir mes tourments.
Mais je tarde un peu trop : allons trouver Chimène,
150 Et par son entretien soulager notre peine.

Scène 3   LE COMTE, DON DIÈGUE

(Une place publique devant le palais royal.)

LE COMTE
Enfin vous l'emportez, et la faveur du Roi
Vous élève en un rang qui n'était dû qu'à moi :
Il vous fait gouverneur du prince de Castille[3].

DON DIÈGUE
Cette marque d'honneur[4] qu'il met dans ma famille
155 Montre à tous qu'il est juste, et fait connaître assez
Qu'il sait récompenser les services passés.

LE COMTE
Pour grands que soient les rois, ils sont ce que nous sommes :
Ils peuvent se tromper comme les autres hommes ;
Et ce choix sert de preuve à tous les courtisans
160 Qu'ils savent mal payer les services présents.

DON DIÈGUE
Ne parlons plus d'un choix dont votre esprit s'irrite :
La faveur l'a pu faire autant que le mérite ;
Mais on doit ce respect au pouvoir absolu,
De n'examiner rien quand un roi l'a voulu.
165 À l'honneur qu'il m'a fait ajoutez-en un autre ;

notes

1. **effet** : réalisation.
2. **fers** : chaînes de l'amour.

3. **prince de Castille** : fils aîné du roi don Fernand.
4. **honneur** : estime.

Joignons d'un sacré nœud[1] ma maison et la vôtre :
Vous n'avez qu'une fille, et moi je n'ai qu'un fils ;
Leur hymen nous peut rendre à jamais plus qu'amis :
Faites-nous cette grâce, et l'acceptez pour gendre.

LE COMTE

170 À des partis plus hauts ce beau fils[2] doit prétendre ;
Et le nouvel éclat de votre dignité
Lui doit enfler le cœur d'une autre vanité.
Exercez-la[3], Monsieur, et gouvernez le Prince :
Montrez-lui comme[4] il faut régir une province[5],
175 Faire trembler partout les peuples sous sa loi,
Remplir les bons d'amour, et les méchants d'effroi.
Joignez à ces vertus celles d'un capitaine[6] :
Montrez-lui comme il faut s'endurcir à la peine,
Dans le métier de Mars[7] se rendre sans égal,
180 Passer les jours entiers et les nuits à cheval,
Reposer tout armé, forcer une muraille,
Et ne devoir qu'à soi le gain d'une bataille.
Instruisez-le d'exemple[8], et rendez-le parfait,
Expliquant à ses yeux vos leçons par l'effet[9].

DON DIÈGUE

185 Pour s'instruire d'exemple, en dépit de l'envie[10],
Il lira seulement l'histoire de ma vie.
Là, dans un long tissu[11] de belles actions,
Il verra comme il faut dompter des nations,
Attaquer une place, ordonner une armée,
190 Et sur de grands exploits bâtir sa renommée.

---

notes

1. **sacré nœud** : lien sacré du mariage.
2. **ce beau fils** : expression ironique du Comte.
3. **la** : cette dignité, cette charge de précepteur.
4. **comme** : comment.
5. **province** : royaume.
6. **capitaine** : chef de guerre.
7. **métier de Mars** : métier des armes. Mars est le dieu de la Guerre.
8. **d'exemple** : par l'exemple.
9. **effet** : exemple pratique.
10. **en dépit de l'envie** : malgré les envieux.
11. **tissu** : suite.

LE COMTE

Les exemples vivants sont d'un autre pouvoir ;
Un prince dans un livre apprend mal son devoir.
Et qu'a fait après tout ce grand nombre d'années,
Que ne puisse égaler une de mes journées ?

195 Si vous fûtes vaillant, je le suis aujourd'hui,
Et ce bras du royaume est le plus ferme appui.
Grenade et l'Aragon[1] tremblent quand ce fer[2] brille ;
Mon nom sert de rempart à toute la Castille :
Sans moi, vous passeriez bientôt sous d'autres lois,

200 Et vous auriez bientôt vos ennemis pour rois.
Chaque jour, chaque instant, pour rehausser ma gloire,
Met lauriers sur lauriers, victoire sur victoire.
Le Prince à mes côtés ferait dans les combats
L'essai de son courage à l'ombre de[3] mon bras ;

205 Il apprendrait à vaincre en me regardant faire ;
Et pour répondre en hâte à son grand caractère[4],
Il verrait...

DON DIÈGUE

         Je le sais, vous servez bien le Roi :
Je vous ai vu combattre et commander sous moi[5].
Quand l'âge dans mes nerfs[6] a fait couler sa glace,

210 Votre rare valeur a bien rempli ma place ;
Enfin, pour épargner les discours superflus,
Vous êtes aujourd'hui ce qu'autrefois je fus.
Vous voyez toutefois qu'en cette concurrence[7]
Un monarque entre nous met quelque différence.

notes

1. **Grenade et l'Aragon** : royaumes d'Espagne longtemps indépendants et ennemis de la Castille.
2. **fer** : épée.
3. **à l'ombre de** : à l'abri de.

4. **répondre [...] à son grand caractère** : bien remplir ses fonctions royales.
5. **sous moi** : sous mes ordres.
6. **nerfs** : muscles.
7. **concurrence** : compétition (pour la charge de gouverneur).

LE COMTE
15 Ce que je méritais, vous l'avez emporté.

DON DIÈGUE
Qui l'a gagné sur vous l'avait mieux mérité.

LE COMTE
Qui peut mieux l'exercer en est bien le plus digne.

DON DIÈGUE
En être refusé[1] n'en est pas un bon signe.

LE COMTE
Vous l'avez eu par brigue[2], étant vieux courtisan.

DON DIÈGUE
20 L'éclat de mes hauts faits fut mon seul partisan.

LE COMTE
Parlons-en mieux, le Roi fait honneur à votre âge.

DON DIÈGUE
Le Roi, quand il en fait, le[3] mesure au courage.

LE COMTE
Et par là cet honneur n'était dû qu'à mon bras.

DON DIÈGUE
Qui n'a pu l'obtenir ne le méritait pas.

LE COMTE
25 Ne le méritait pas ! moi ?

DON DIÈGUE
                                    Vous.

LE COMTE
                              Ton impudence,
Téméraire vieillard, aura sa récompense.

---

notes

1. **En être refusé :** se le voir refuser. | 3. **en, le :** renvoient à « *honneur* ».
2. **brigue :** intrigue.

(Il lui donne un soufflet.)

Don Diègue, *mettant l'épée à la main.*
Achève, et prends ma vie, après un tel affront,
Le premier dont ma race ait vu rougir son front.

Le Comte
Et que penses-tu faire avec tant de faiblesse ?

Don Diègue
230 Ô Dieu ! ma force usée en ce besoin[1] me laisse !

Le Comte
Ton épée est à moi[2] ; mais tu serais trop vain[3],
Si ce honteux trophée[4] avait chargé ma main.
Adieu : fais lire au Prince, en dépit de l'envie,
Pour son instruction, l'histoire de ta vie :
235 D'un insolent discours ce juste châtiment
Ne lui servira pas d'un petit ornement[5].

Scène 4   Don Diègue

Ô rage ! ô désespoir ! ô vieillesse ennemie !
N'ai-je donc tant vécu que pour cette infamie[6] ?
Et ne suis-je blanchi[7] dans les travaux guerriers
240 Que pour voir en un jour flétrir tant de lauriers ?
Mon bras qu'avec respect toute l'Espagne admire,
Mon bras, qui tant de fois a sauvé cet empire,
Tant de fois affermi le trône de son roi,
Trahit donc ma querelle[8] et ne fait rien pour moi ?
245 Ô cruel souvenir de ma gloire passée !

notes
_____

1. besoin : situation critique.
2. Ton épée est à moi : le Comte a fait sauter l'épée de Don Diègue de ses mains.
3. vain : fier.
4. trophée : dépouille d'un ennemi vaincu.

5. ornement : illustration, exemple.
6. infamie : déshonneur.
7. ne suis-je blanchi : n'ai-je vieilli.
8. querelle : cause.

Œuvre de tant de jours en un jour effacée !
Nouvelle dignité, fatale à mon bonheur !
Précipice¹ élevé d'où tombe mon honneur !
Faut-il de votre éclat voir triompher le Comte,
250 Et mourir sans vengeance, ou vivre dans la honte ?
Comte, sois de mon prince à présent gouverneur :
Ce haut rang n'admet point un homme sans honneur ;
Et ton jaloux orgueil, par cet affront insigne²,
Malgré le choix du Roi, m'en a su rendre indigne.
255 Et toi, de mes exploits glorieux instrument,
Mais d'un corps tout de glace³ inutile ornement,
Fer, jadis tant à craindre, et qui, dans cette offense,
M'as servi de parade⁴, et non pas de défense,
Va, quitte désormais le dernier des humains,
260 Passe, pour me venger, en de meilleures mains.

Scène 5   DON DIÈGUE, DON RODRIGUE

DON DIÈGUE
Rodrigue, as-tu du cœur ?

DON RODRIGUE
             Tout autre que mon père
L'éprouverait sur l'heure.

DON DIÈGUE
             Agréable colère !
Digne ressentiment⁵ à ma douleur bien doux !
Je reconnais mon sang à ce noble courroux⁶ ;

---

notes

1. précipice : lieu élevé d'où l'on tombe.
2. insigne : extraordinaire.
3. tout de glace : refroidi par l'âge.

4. parade : vaine parure.
5. ressentiment : réaction.
6. courroux : colère.

265 Ma jeunesse revit en cette ardeur si prompte.
Viens, mon fils, viens, mon sang, viens réparer ma honte ;
Viens me venger.

DON RODRIGUE
                            De quoi ?

DON DIÈGUE
                                        D'un affront si cruel,
Qu'à l'honneur de tous deux il porte un coup mortel :
D'un soufflet. L'insolent en eût perdu la vie ;
270 Mais mon âge a trompé ma généreuse[1] envie :
Et ce fer que mon bras ne peut plus soutenir,
Je le remets au tien pour venger et punir.
Va contre un arrogant éprouver[2] ton courage :
Ce n'est que dans le sang qu'on lave un tel outrage ;
275 Meurs ou tue. Au surplus, pour ne te point flatter[3],
Je te donne à combattre un homme à redouter :
Je l'ai vu, tout couvert de sang et de poussière,
Porter partout l'effroi dans une armée entière.
J'ai vu par sa valeur cent escadrons rompus[4] ;
280 Et pour t'en dire encor quelque chose de plus,
Plus que brave soldat, plus que grand capitaine,
C'est...

DON RODRIGUE
          De grâce, achevez.

DON DIÈGUE
                                Le père de Chimène.

DON RODRIGUE
Le...

---

notes

| **1. généreuse :** noble, digne de notre rang. | **3. flatter :** tromper. |
| **2. éprouver :** mettre à l'épreuve. | **4. rompus :** vaincus, mis en déroute. |

DON DIÈGUE

    Ne réplique point, je connais ton amour ;
Mais qui peut vivre infâme est indigne du jour.
85 Plus l'offenseur est cher, et plus grande est l'offense.
Enfin tu sais l'affront, et tu tiens la vengeance[1] :
Je ne te dis plus rien. Venge-moi, venge-toi ;
Montre-toi digne fils d'un père tel que moi.
Accablé des malheurs où le destin me range[2],
90 Je vais les déplorer[3] : va, cours, vole, et nous venge.

Scène 6

DON RODRIGUE

           Percé jusques au fond du cœur
D'une atteinte imprévue aussi bien que mortelle,
Misérable[4] vengeur d'une juste querelle,
Et malheureux objet d'une injuste rigueur,
95 Je demeure immobile, et mon âme abattue
          Cède au coup qui me tue.
      Si près de voir mon feu[5] récompensé,
        Ô Dieu, l'étrange[6] peine !
En cet affront mon père est l'offensé,
100 Et l'offenseur le père de Chimène !

    Que je sens de rudes combats !
Contre mon propre honneur mon amour s'intéresse[7] :
Il faut venger un père, et perdre une maîtresse[8] :
L'un m'anime le cœur, l'autre retient mon bras.
105 Réduit au triste choix ou de trahir ma flamme,

passage analysé

---

otes

1. **tu tiens la vengeance :** tu as les moyens de me venger.
2. **range :** condamne.
3. **les déplorer :** pleurer sur ces malheurs.
4. **misérable :** digne de pitié.

5. **feu :** amour.
6. **étrange :** terrible, extraordinaire.
7. **s'intéresse :** prend parti.
8. **maîtresse :** femme aimée.

Ou de vivre en infâme,
Des deux côtés mon mal est infini.
Ô Dieu, l'étrange peine !
Faut-il laisser un affront impuni ?
310   Faut-il punir le père de Chimène ?

Père, maîtresse, honneur, amour,
Noble et dure contrainte, aimable tyrannie,
Tous mes plaisirs sont morts, ou ma gloire ternie.
L'un me rend malheureux, l'autre indigne du jour.
315   Cher et cruel espoir d'une âme généreuse
Mais ensemble[1] amoureuse,
Digne ennemi de mon plus grand bonheur,
Fer qui causes ma peine,
M'es-tu donné pour venger mon honneur ?
320   M'es-tu donné pour perdre ma Chimène ?

Il vaut mieux courir au trépas[2].
Je dois à[3] ma maîtresse aussi bien qu'à mon père :
J'attire en me vengeant sa haine et sa colère ;
J'attire ses mépris en ne me vengeant pas.
325   À mon plus doux espoir l'un me rend infidèle,
Et l'autre, indigne d'elle.
Mon mal augmente à le vouloir guérir[4],
Tout redouble ma peine.
Allons, mon âme ; et puisqu'il faut mourir,
330   Mourons du moins sans offenser Chimène.

notes

1. **ensemble** : en même temps.
2. **trépas** : mort.
3. **Je dois à** : j'ai des devoirs envers.
4. **à le vouloir guérir** : quand je veux le guérir.

Mourir sans tirer ma raison[1] !
Rechercher un trépas si mortel à ma gloire !
Endurer que l'Espagne impute à ma mémoire[2]
D'avoir mal soutenu l'honneur de ma maison !
35 Respecter un amour dont mon âme égarée
Voit la perte assurée !
N'écoutons plus ce penser suborneur[3],
Qui ne sert qu'à ma peine.
Allons, mon bras, sauvons du moins l'honneur,
40 Puisqu'après tout il faut perdre Chimène.

Oui, mon esprit s'était déçu[4].
Je dois tout à mon père avant qu'à ma maîtresse.
Que je meure au combat, ou meure de tristesse,
Je rendrai mon sang pur comme je l'ai reçu.
45 Je m'accuse déjà de trop de négligence :
Courons à la vengeance ;
Et tout honteux d'avoir tant balancé,
Ne soyons plus en peine,
Puisqu'aujourd'hui mon père est l'offensé,
50 Si l'offenseur est père de Chimène.

suite, p. 51

passage analysé

Notes

1. tirer ma raison : obtenir réparation de l'offense.
2. impute à ma mémoire : m'accuse dans le souvenir qu'elle gardera de moi.

3. ce penser suborneur : cette idée trompeuse, qui détourne du devoir.
4. déçu : trompé.

Les stances ou la naissance du héros

Lecture analytique de la scène 6 de l'acte I, pp. 35 à 37.

Don Diègue vient d'annoncer à son fils l'affront subi et lui a confié la mission de le venger. Seul en scène, Rodrigue se parle à lui-même. Nouvelle pause dans l'action dramatique*, ce monologue* fait écho à celui de Don Diègue exprimant dans la scène 4 son désespoir face au soufflet reçu du Comte. Cette scène prend la forme de stances*, monologue poétique fréquent dans les pièces classiques entre 1630 et 1660 et qui disparaît ensuite avec les exigences des règles* de vraisemblance. Poème lyrique* d'origine italienne à la versification* très élaborée, les stances manifestent l'irruption du lyrisme par un discours centré sur les sentiments du héros : Rodrigue exprime ainsi sa douleur face à ce choix impossible imposé par des circonstances qui l'accablent. Dans le monologue de Rodrigue alternent des sentiments contradictoires et qui évoluent néanmoins. Il s'agit en effet d'un discours rhétorique* de genre délibératif* qui fait d'abord apparaître l'opposition irréductible de deux valeurs également estimables – l'honneur et l'amour – entre lesquelles Rodrigue doit choisir : face à ce dilemme*, après des hésitations déchirantes et avoir rejeté la tentation de fausses solutions, il va prendre une décision.

Si Rodrigue est bien confronté à une alternative, pouvons-nous néanmoins affirmer que nous assistons à un vrai débat où s'exposent le pour et le contre ? A-t-il vraiment le choix ? Et ce monologue n'est-il pas en fait la révélation progressive d'une vérité intérieure dont le héros n'avait pas immédiatement conscience ? Car l'héroïsme* cornélien est une quête morale douloureuse à travers contradictions et déchirements dont *Le Cid* fixe, dans l'œuvre de Corneille, les étapes et le cheminement.

* *Cf.* Lexique.

Les stances* : un monologue* poétique et lyrique*

❶ Montrez comment le poème et chaque stance s'organisent : nombre de strophes, de vers, disposition des rimes et des types de vers. Quel effet cette disposition produit-elle ?

❷ En quoi ce monologue rappelle-t-il celui de Don Diègue ? Quels éléments en reprend-il ?

❸ Qu'est-ce qui, dans la situation de Rodrigue, explique le recours au monologue ?

❹ Quel champ lexical* domine dans la première et la seconde strophe ? Quelle métaphore* y est développée et comment ?

❺ Quels types de phrases* dominent dans les trois premières strophes ? À quels sentiments correspondent-ils ? Lesquels dominent dans les trois dernières strophes ? Quels sentiments traduisent-ils ?

Un monologue délibératif* : le dilemme* tragique

❻ Relevez dans les strophes 2 et 3 les oppositions et les symétries* : que traduisent-elles ? Quel vers de la strophe 2 résume le dilemme tragique ?

❼ Comparez les deux derniers vers de chaque strophe : parallélismes, rimes, types de phrases. Comment soulignent-ils les deux pôles du dilemme et l'évolution de Rodrigue ?

❽ Combien de fois Rodrigue change-t-il d'avis ? Comparez les vers 303, 322 et 342 : quelle évolution marquent-ils vers le choix final ?

❾ Relevez le champ lexical de la mort dans les trois dernières strophes. À quoi l'idée de mort est-elle successivement associée ?

❿ Quels arguments vous semblent déterminants dans la décision finale ?

* *Cf.* Lexique.

Le choix et les valeurs du héros naissant

⓫ Observez les vers 305-306 : Rodrigue a-t-il vraiment le choix selon vous ?

⓬ Expliquez le vers 324 : l'amour s'oppose-t-il réellement au devoir ? Quelle conception de l'honneur et de l'amour partagent Chimène et Rodrigue ?

⓭ Quel champ lexical* l'emporte sur l'autre dans la strophe 5 ? Pourquoi Rodrigue renonce-t-il au suicide ?

⓮ Comparez les vers 317-318 et 339 : quels rôles successifs joue son épée pour Rodrigue ?

⓯ Quels changements se sont opérés chez Rodrigue entre le début et la fin de ces stances* ? Pourquoi peut-on parler de la naissance d'un héros ?

⓰ Quelle est la fonction dramatique* de ce monologue* ?

* Cf. Lexique.

Le monologue délibératif
Lectures croisées et travaux d'écriture

Le monologue* intervient fréquemment au théâtre comme une pause lyrique* dans le cours de l'action dramatique*. Souvent considéré comme trop statique, il permet en fait d'éclairer le spectateur sur les enjeux d'une situation en lui dévoilant les motivations et les sentiments d'un personnage seul sur scène, plongé dans un état de trouble, par l'artifice d'une parole dite à haute voix. Même seul, le personnage parle toujours à quelqu'un et le monologue demeure une parole dédoublée qui porte les marques du dialogue : il s'adresse à lui-même ou à une partie de lui-même, à un personnage absent, mort ou disparu, à une divinité, plus rarement directement au public. Mais, derrière cette parole dédoublée, l'auteur a toujours pour récepteur le public, par le phénomène de la double énonciation*, spécificité essentielle du langage théâtral. La convention du monologue est parfois présentée par un procédé formel, comme la structure poétique des stances* du *Cid*.

Lorsqu'il est délibératif*, le monologue a une incidence sur l'action en exposant les arguments contradictoires d'un personnage à la recherche d'une décision : ainsi, confrontés à un dilemme* tragique, alternative entre deux choix inconciliables, Rodrigue dans *Le Cid*, Auguste dans *Cinna* et Titus dans *Bérénice* mènent un vrai débat intérieur avant de décider du parti à prendre. Le monologue délibératif n'est pas réservé au seul genre théâtral. Les romanciers, tel Hugo dans *Les Misérables*, font aussi connaître de l'intérieur les conflits intimes de leurs personnages.

Texte A : Scène 6 de l'acte I du *Cid* de Corneille (pp. 35 à 37)

* *Cf.* Lexique.

Texte B : Pierre Corneille, *Cinna*

Dans cette tragédie romaine à sujet politique, jouée en 1642, Corneille met en scène l'épisode antique de la clémence d'Auguste. L'empereur de Rome Octave-Auguste vient d'apprendre la conjuration où sont impliqués ses amis proches Cinna et Maxime, ainsi que sa fille adoptive Émilie. Accablé de douleur, il est tenté de faire un exemple éclatant en les châtiant. Il livre, dans ce monologue*, son déchirement et son combat intérieur, tout en évoquant les massacres dont il fut l'auteur. Mais son pardon ultime, à l'acte V, le hissera au rang des héros cornéliens.

AUGUSTE

Ciel, à qui voulez-vous désormais que je fie[1]
Les secrets de mon âme et le soin de ma vie ?
Reprenez le pouvoir que vous m'avez commis[2],
Si donnant des sujets il ôte des amis,
Si tel est le destin des grandeurs souveraines
Que leurs plus grands bienfaits n'attirent que des haines,
Et si votre rigueur les condamne à chérir
Ceux que vous animez à[3] les faire périr.
Pour elles rien n'est sûr ; qui peut tout doit tout craindre.
Rentre en toi-même, Octave, et cesse de te plaindre.
Quoi ! Tu veux qu'on t'épargne et n'as rien épargné !
Songe aux fleuves de sang où ton bras s'est baigné,
De combien ont rougi les champs de Macédoine[4],
Combien en a versés la défaite d'Antoine[5],
Combien celle de Sexte[6], et revois tout d'un temps
Pérouse au sien[7] noyée, et tous ses habitants.
Remets dans ton esprit, après tant de carnages,
De tes proscriptions[8] les sanglantes images,
Où toi-même, des tiens devenu le bourreau,
Au sein de ton tuteur[9] enfonças le couteau :
Et puis ose accuser le destin d'injustice,
Quand tu vois que les tiens s'arment pour ton supplice,
Et que, par ton exemple à ta perte guidés,
Ils violent des droits que tu n'as pas gardés[10] !
Leur trahison est juste et le Ciel l'autorise :
Quitte ta dignité comme tu l'as acquise ;
Rends un sang infidèle à l'infidélité,
Et souffre des ingrats après l'avoir été.

Mais que mon jugement au besoin[11] m'abandonne !
Quelle fureur, Cinna, m'accuse et te pardonne,
Toi, dont la trahison me force à retenir
Ce pouvoir souverain dont tu me veux punir,
Me traite en criminel, et fait seule mon crime,
Relève pour l'abattre un trône illégitime,
Et, d'un zèle effronté couvrant son attentat,
S'oppose, pour me perdre, au bonheur de l'État ?
Donc jusqu'à l'oublier je pourrais me contraindre !
Tu vivrais en repos après m'avoir fait craindre !
Non, non, je me trahis moi-même d'y penser :
Qui pardonne aisément invite à l'offenser ;
Punissons l'assassin, proscrivons les complices.
Mais quoi ! Toujours du sang et toujours des supplices !
Ma cruauté se lasse, et ne peut s'arrêter ;
Je veux me faire craindre et ne fais qu'irriter.
Rome a pour ma ruine une hydre[12] trop fertile :
Une tête coupée en fait renaître mille,
Et le sang répandu de mille conjurés
Rend mes jours plus maudits et non plus assurés.
Octave, n'attends plus le coup d'un nouveau Brute[13] ;
Meurs, et dérobe-lui la gloire de ta chute ;
Meurs ; tu ferais pour vivre un lâche et vain effort,
Si tant de gens de cœur font des vœux pour ta mort,
Et si tout ce que Rome a d'illustre jeunesse
Pour te faire périr tour à tour s'intéresse ;
Meurs, puisque c'est un mal que tu ne peux guérir ;
Meurs enfin, puisqu'il faut ou tout perdre ou mourir.
La vie est peu de chose, et le peu qui t'en reste
Ne vaut pas l'acheter[14] par un prix si funeste.
Meurs, mais quitte du moins la vie avec éclat ;
Éteins-en le flambeau dans le sang de l'ingrat,
À toi-même en mourant immole ce perfide[15] ;
Contentant ses désirs[16] punis son parricide[17] ;
Fais un tourment pour lui de ton propre trépas[18],
En faisant qu'il le voie et n'en jouisse pas.
Mais jouissons plutôt nous-mêmes de sa peine ;
Et si Rome nous hait, triomphons de sa haine.

Ô Romains ! ô vengeance ! ô pouvoir absolu !
Ô rigoureux combat d'un cœur irrésolu
Qui fuit en même temps tout ce qu'il se propose !
D'un prince malheureux ordonnez quelque chose.
Qui des deux dois-je suivre, et duquel m'éloigner ?
Ou laissez-moi périr, ou laissez-moi régner.

Pierre Corneille, *Cinna*, scène 2 de l'acte IV, 1643.

1. fie : confie. **2. commis** : confié. **3. animez à** : excitez à. **4. champs de Macédoine** : champs de bataille où s'est déroulée la bataille de Philippes. **5. Antoine** : battu par Octave à Actium après l'éclatement du second triumvirat formé avec Lépide. **6. Sexte** : Sextus Pompée, fils de Pompée, résistant au pouvoir romain avant d'être battu. **7. au sien** : dans le sien. **8. proscriptions** : condamnations sans jugements des adversaires politiques. **9. ton tuteur** : le père d'Émilie. **10. gardés** : respectés. **11. au besoin** : dans le besoin. **12. hydre** : hydre de Lerne, serpent fabuleux à sept têtes qui repoussent toujours sauf si, comme Hercule, on les coupe toutes en même temps. **13. Brute** : Brutus, fils adoptif et l'un des assassins de César. **14. l'acheter** : de l'acheter. **15. ce perfide** : Cinna. **16. contentant ses désirs** : tout en satisfaisant son désir de te voir mort. **17. parricide** : meurtre du père. **18. trépas** : mort.

Texte C : Jean Racine, *Bérénice*

L'argument de Bérénice, *tragédie présentée par Jean Racine en 1670, peut se résumer à cette phrase de Suétone dans ses* Vies des douze Césars *(reprise par Racine dans sa préface) : « Titus, qui aimait passionnément Bérénice, et qui même, à ce qu'on croyait, lui avait promis de l'épouser, la renvoya de Rome, malgré lui et malgré elle, dès les premiers jours de son empire. » Ici, Titus, empereur de Rome, s'apprête à rencontrer Bérénice, reine de Palestine, pour lui annoncer lui-même sa décision de la quitter, afin de satisfaire à la raison d'État. Nous assistons dans ce monologue* à son débat intérieur.*

TITUS, *seul.*
Eh bien, Titus, que viens-tu faire ?
Bérénice t'attend. Où viens-tu, téméraire[1] ?
Tes adieux sont-ils prêts ? T'es-tu bien consulté ?
Ton cœur te promet-il assez de cruauté ?
Car enfin au combat qui pour toi se prépare,
C'est peu d'être constant[2], il faut être barbare.
Soutiendrai-je ces yeux dont la douce langueur
Sait si bien découvrir les chemins de mon cœur ?
Quand je verrai ces yeux armés de tous leurs charmes,
Attachés sur les miens, m'accabler de leurs larmes,
Me souviendrai-je alors de mon triste[3] devoir ?

* Cf. Lexique

Pourrai-je dire enfin : « Je ne veux plus vous voir » ?
Je viens percer un cœur qui m'adore, qui m'aime ;
Et pourquoi le percer ? Qui l'ordonne ? Moi-même !
Car enfin Rome a-t-elle expliqué ses souhaits ?
L'entendons-nous crier autour de ce palais ?
Vois-je l'État penchant au bord du précipice ?
Ne le puis-je sauver que par ce sacrifice ?
Tout se tait, et moi seul, trop prompt à me troubler,
J'avance des malheurs que je puis reculer.
Et qui sait si, sensible aux vertus de la reine,
Rome ne voudra point l'avouer[4] pour Romaine ?
Rome peut par son choix justifier[5] le mien.
Non, non, encore un coup, ne précipitons rien.
Que Rome avec ses lois mette dans la balance
Tant de pleurs, tant d'amour, tant de persévérance :
Rome sera pour nous... Titus, ouvre les yeux !
Quel air respires-tu ? N'es-tu pas dans ces lieux
Où la haine des rois, avec le lait sucée[6],
Par crainte ou par amour ne peut être effacée ?
Rome jugea ta reine en condamnant ses rois.
N'as-tu pas en naissant entendu cette voix ?
Et n'as-tu pas encore ouï la renommée
T'annoncer ton devoir jusque dans ton armée ?
Et lorsque Bérénice arriva sur tes pas,
Ce que Rome en jugeait ne l'entendis-tu pas ?
Faut-il donc tant de fois te le faire redire ?
Ah ! lâche, fais l'amour[7] et renonce à l'Empire.
Au bout de l'univers, va, cours te confiner,
Et fais place à des cœurs plus dignes de régner.
Sont-ce là ces projets de grandeur et de gloire
Qui devaient dans les cœurs consacrer ma mémoire ?
Depuis huit jours je règne, et jusques à ce jour
Qu'ai-je fait pour l'honneur ? J'ai tout fait pour l'amour.
D'un temps si précieux quel compte puis-je rendre ?
Où sont ces heureux jours que je faisais attendre ?
Quels pleurs ai-je séchés ? Dans quels yeux satisfaits
Ai-je déjà goûté le fruit de mes bienfaits ?
L'univers a-t-il vu changer ses destinées ?

Sais-je combien le ciel m'a compté de journées ?[8]
Et de ce peu de jours si longtemps attendus,
Ah malheureux ! combien j'en ai déjà perdus !
Ne tardons plus : faisons ce que l'honneur exige ;
Rompons le seul lien...

Jean Racine, Bérénice, scène 4 de l'acte IV, 1670.

1. **téméraire** : inconscient du danger.
2. **constant** : ferme dans sa décision.
3. **triste** : douloureux.
4. **l'avouer** : la reconnaître.
5. **justifier** : rendre conforme aux lois.
6. **avec le lait sucée** : apprise dès l'enfance.
7. **fais l'amour** : affiche ton amour.
8. **combien [...] journées ?** : combien de temps le ciel me laissera-t-il régner ?

Texte D : Victor Hugo, *Les Misérables*

Ce célèbre roman historique, psychologique et social de Victor Hugo, publié en 1862 pendant son exil, raconte l'itinéraire de l'ancien forçat Jean Valjean. À sa sortie du bagne, ce dernier a changé d'identité, devenant M. Madeleine, honorable maire de Montreuil-sur-Mer où il tente de venir en aide aux déshérités. Mais il apprend qu'un paysan nommé Champmathieu, arrêté à sa place pour un ancien vol, va comparaître aux assises. Dans cet extrait du chapitre intitulé « Tempête sous un crâne », se livre un terrible combat intérieur à l'issue duquel Jean Valjean ira se dénoncer.

Il reculait maintenant avec une égale épouvante devant les deux résolutions qu'il avait prises tour à tour. Les deux idées qui le conseillaient lui paraissaient aussi funestes l'une que l'autre. – Quelle fatalité ! quelle rencontre que ce Champmathieu pris pour lui ! Être précipité justement par le moyen que la providence paraissait d'abord avoir employé pour l'affermir !

Il y eut un moment où il considéra l'avenir. Se dénoncer, grand Dieu ! se livrer ! Il envisagea avec un immense désespoir tout ce qu'il faudrait quitter, tout ce qu'il faudrait reprendre. Il faudrait donc dire adieu à cette existence si bonne, si pure, si radieuse, à ce respect de tous, à l'honneur, à la liberté ! Il n'irait plus se promener dans les champs, il n'entendrait plus chanter les oiseaux au mois de mai, il ne ferait plus l'aumône aux petits enfants ! Il ne sentirait plus la douceur des regards de reconnaissance et d'amour fixés sur lui ! Il quitterait cette maison qu'il avait bâtie, cette chambre, cette petite chambre ! Tout lui paraissait charmant à cette petite table de bois blanc ! Sa vieille portière[1], la seule servante qu'il eût, ne lui monterait plus son café le matin. Grand Dieu ! Au lieu de tout cela, la chiourme[2], le carcan[3], la veste rouge[4], la chaîne au pied, la fatigue, le cachot, le lit de camp, toutes ces horreurs connues ! À son âge, après avoir été ce qu'il était ! Si encore il était jeune ! Mais, vieux, être tutoyé par le premier venu, être fouillé par le garde-chiourme[5], recevoir le coup de bâton de l'argousin[6] ! Avoir les pieds nus dans des souliers ferrés ! tendre matin et soir sa jambe au marteau du rondier[7] qui visite la manille[8] ! subir la curiosité des étrangers auxquels on dirait : *Celui-là, c'est le fameux Jean Valjean, qui a été maire à Montreuil-sur-Mer !* Le soir, ruisselant de sueur, accablé de lassitude, le bonnet vert sur les yeux, remonter deux à deux, sous le fouet du sergent, l'escalier-échelle du bagne flottant ! Oh ! quelle misère ! La destinée peut-elle être méchante comme un être intelligent et devenir monstrueuse comme le cœur humain !

Et, quoi qu'il fît, il retombait toujours sur ce poignant dilemme qui était au fond de sa rêverie : – rester dans le paradis, et y devenir démon ! rentrer dans l'enfer, et y devenir ange !

Que faire, grand Dieu ! que faire ? [...]

À de certains moments, luttant contre sa lassitude, il faisait effort pour ressaisir son intelligence. Il tâchait de se poser une dernière fois, et définitivement, le problème sur lequel il était en quelque sorte tombé d'épuisement. Faut-il se dénoncer ? Faut-il se taire ? – Il ne réussissait à rien voir de distinct. Les vagues aspects de tous les raisonnements ébauchés par sa rêverie tremblaient et se dissipaient l'un après l'autre en fumée. Seulement il sentait que, à quelque parti qu'il s'arrêtât, nécessairement, et sans qu'il fût possible d'y échapper, quelque chose de lui allait mourir, qu'il entrait dans un sépulcre à droite comme à gauche ; qu'il accomplissait une agonie, l'agonie de son bonheur ou l'agonie de sa vertu.

Hélas ! Toutes ses irrésolutions l'avaient repris. Il n'était pas plus avancé qu'au commencement.

Victor Hugo, *Les Misérables*, livre I, chapitre VII, troisième partie, 1862.

1. portière : concierge.
2. chiourme : groupe de forçats.
3. carcan : collier de fer ou de bois par lequel on attache un homme à un mur ou à une chaîne.
4. veste rouge : casaque rouge des forçats destinée à être vue de loin.
5. garde-chiourme : surveillant des forçats.
6. argousin : gardien des galères.
7. rondier : garde du bagne qui fait les « rondes ».
8. manille : anneau auquel on fixait la chaîne d'un galérien.

Document : Mise en scène du *Cid* par D. Donnellan

**William Nadylam dans le rôle de Rodrigue
(Avignon, 1998).**

Corpus

Texte A : Scène 6 de l'acte I du *Cid* de Pierre Corneille (pp. 35-37).

Texte B : Scène 2 de l'acte IV de *Cinna* de Pierre Corneille (pp. 42-44).

Texte C : Extrait de la scène 4 de l'acte IV de *Bérénice* de Jean Racine (pp. 44-46).

Texte D : Extrait des *Misérables* de Victor Hugo (pp. 46-47).

Document : Mise en scène du *Cid* par D. Donnellan (p. 48).

Examen des textes et de l'image

❶ À quel(s) interlocuteur(s) s'adresse chacun des personnages du corpus ? Quelle figure de rhétorique* est employée pour cela dans le texte A ?

❷ Vous montrerez, dans chaque texte, les termes du dilemme* tragique et relèverez les éléments qui favorisent son expression (champs lexicaux*, types de phrases*, jeux des pronoms). Quel effet produisent-ils ?

❸ Quelles valeurs s'affrontent dans les textes B et C ? Comparez les conceptions du pouvoir en jeu dans les deux textes.

❹ Identifiez les phases successives de l'évolution intérieure du héros dans les textes B à D. En quoi peut-on parler de délibération ?

❺ Lesquels de ces monologues* aboutissent à une décision finale ? Dans les autres, peut-on prévoir la décision ? Pourquoi ?

❻ Montrez comment alternent les formes de paroles rapportées dans le texte D. Quel est l'effet produit ?

❼ À quel moment des stances* du *Cid* correspond cette photographie (document) ? Justifiez votre réponse en vous appuyant sur les éléments de l'image (attitude du personnage, jeux de lumière et d'ombre, place de l'épée).

Travaux d'écriture

Question préliminaire

Quelles caractéristiques essentielles du monologue délibératif* présente l'ensemble des monologues de ce corpus ?

Commentaire

Vous ferez le commentaire de l'extrait de *Bérénice* de Jean Racine (texte C).

Dissertation

En vous appuyant sur les textes du corpus ou sur d'autres textes, vous montrerez que le monologue de théâtre demeure toujours une forme particulière de dialogue.

* Cf. Lexique.

Écriture d'invention

Transposez le monologue* de Jean Valjean sous la forme d'un monologue délibératif* théâtral, en restituant toutes les contraintes propres à ce genre.

**Don Rodrigue (Gérard Philipe)
face à son père bafoué (Jean Deschamps),
mise en scène de Jean Vilar (TNP, 1951).**

* Cf. Lexique.

Scène première DON ARIAS, LE COMTE

LE COMTE
Je l'avoue entre nous, mon sang un peu trop chaud
S'est trop ému d'un mot, et l'a porté trop haut[1] ;
Mais puisque c'en est fait, le coup est sans remède.

DON ARIAS
Qu'aux volontés du Roi ce grand courage[2] cède :
Il y[3] prend grande part, et son cœur irrité
Agira contre vous de pleine autorité.
Aussi, vous n'avez point de valable défense :
Le rang de l'offensé, la grandeur de l'offense
Demandent des devoirs et des submissions[4]
Qui passent le commun des satisfactions[5].

otes

1. **l'a porté trop haut :** a montré trop d'orgueil.
2. **courage :** fermeté, vaillance.
3. **y :** à cette affaire.

4. **submissions :** soumissions.
5. **passent [...] satisfactions :** dépassent les réparations ordinaires.

LE COMTE
Le Roi peut à son gré disposer de ma vie.

DON ARIAS
De trop d'emportement votre faute est suivie.
Le Roi vous aime encore ; apaisez son courroux.
Il a dit : « Je le veux » ; désobéirez-vous ?

LE COMTE
365 Monsieur, pour conserver tout ce que j'ai d'estime[1],
Désobéir un peu n'est pas un si grand crime ;
Et quelque grand qu'il[2] soit, mes services présents
Pour le faire abolir[3] sont plus que suffisants.

DON ARIAS
Quoi qu'on fasse d'illustre et de considérable,
370 Jamais à son sujet un roi n'est redevable.
Vous vous flattez beaucoup, et vous devez savoir
Que qui sert bien son roi ne fait que son devoir.
Vous vous perdrez, Monsieur, sur cette confiance[4].

LE COMTE
Je ne vous en croirai qu'après l'expérience.

DON ARIAS
375 Vous devez redouter la puissance d'un roi.

LE COMTE
Un jour seul ne perd pas un homme tel que moi.
Que toute sa grandeur[5] s'arme pour mon supplice,
Tout l'État périra, s'il faut que je périsse.

DON ARIAS
Quoi ! vous craignez si peu le pouvoir souverain...

notes

1. **tout ce que j'ai d'estime :** toute l'estime qu'on me porte.
2. **il :** ce crime.
3. **abolir :** pardonner, amnistier.

4. **sur cette confiance :** en vous reposant sur cette confiance en vous.
5. **sa grandeur :** la grandeur de l'État.

LE COMTE

380 D'un sceptre qui sans moi tomberait de sa main ?
Il a trop d'intérêt lui-même en ma personne,
Et ma tête en tombant ferait choir sa couronne.

DON ARIAS

Souffrez que la raison remette vos esprits.
Prenez un bon conseil[1].

LE COMTE

Le conseil en est pris.

DON ARIAS

385 Que lui dirai-je enfin ? je lui dois rendre conte[2].

LE COMTE

Que je ne puis du tout consentir à ma honte[3].

DON ARIAS

Mais songez que les rois veulent être absolus.

LE COMTE

Le sort en est jeté, Monsieur, n'en parlons plus.

DON ARIAS

Adieu donc, puisqu'en vain je tâche à vous résoudre[4] :
390 Avec tous vos lauriers, craignez encor le foudre[5].

LE COMTE

Je l'attendrai sans peur.

DON ARIAS

Mais non pas sans effet[6].

---

notes

1. un bon conseil : une décision sage.
2. conte : compte.
3. consentir à ma honte : accepter de me déshonorer (en faisant des excuses à Don Diègue).
4. à vous résoudre : de vous convaincre.

5. le foudre : la colère du Roi. Selon une croyance antique, le laurier protégeait de la foudre.
6. sans effet : sans que la colère du Roi se manifeste effectivement.

LE COMTE
Nous verrons donc par là don Diègue satisfait.

(Il est seul.)

Qui ne craint point la mort ne craint point les menaces.
J'ai le cœur au-dessus des plus fières[1] disgrâces ;
395 Et l'on peut me réduire à vivre sans bonheur,
Mais non pas me résoudre à vivre sans honneur.

Scène 2   LE COMTE, DON RODRIGUE

DON RODRIGUE
À moi, Comte, deux mots.

LE COMTE

Parle.

DON RODRIGUE

Ôte-moi d'un doute.

Connais-tu bien don Diègue ?

LE COMTE

Oui.

DON RODRIGUE

Parlons bas ; écoute.

Sais-tu que ce vieillard fut la même vertu[2],
400 La vaillance et l'honneur de son temps ? le sais-tu ?

LE COMTE
Peut-être.

notes

1. **fières** : cruelles.

2. **la même vertu** : le courage même, la bravoure incarnée.

DON RODRIGUE

Cette ardeur que dans les yeux je porte,
Sais-tu que c'est son sang ? le sais-tu ?

LE COMTE

Que m'importe ?

DON RODRIGUE
À quatre pas d'ici je te le fais savoir.

LE COMTE
Jeune présomptueux !

DON RODRIGUE

Parle sans t'émouvoir[1].
405 Je suis jeune, il est vrai ; mais aux âmes bien nées[2]
La valeur n'attend point le nombre des années.

LE COMTE
Te mesurer à moi ! qui t'a rendu si vain,
Toi qu'on n'a jamais vu les armes à la main ?

DON RODRIGUE
Mes pareils à deux fois ne se font point connaître[3],
410 Et pour leurs coups d'essai veulent des coups de maître.

LE COMTE
Sais-tu bien qui je suis ?

DON RODRIGUE

Oui ; tout autre que moi
Au seul bruit de ton nom pourrait trembler d'effroi.
Les palmes[4] dont je vois ta tête si couverte
Semblent porter écrit le destin de ma perte.

passage analysé

415 J'attaque en téméraire un bras toujours vainqueur ;
Mais j'aurai trop de force, ayant assez de cœur.
À qui venge son père il n'est rien impossible[1].
Ton bras est invaincu, mais non pas invincible.

LE COMTE
Ce grand cœur qui paraît aux discours que tu tiens,
420 Par tes yeux, chaque jour, se découvrait aux miens ;
Et croyant voir en toi l'honneur de la Castille,
Mon âme avec plaisir te destinait ma fille.
Je sais ta passion, et suis ravi de voir
Que tous ses mouvements[2] cèdent à ton devoir ;
425 Qu'ils n'ont point affaibli cette ardeur magnanime[3] ;
Que ta haute vertu répond à mon estime ;
Et que voulant pour gendre un cavalier parfait,
Je ne me trompais point au[4] choix que j'avais fait ;
Mais je sens que pour toi ma pitié s'intéresse[5] ;
430 J'admire ton courage, et je plains ta jeunesse.
Ne cherche point à faire un coup d'essai fatal ;
Dispense ma valeur d'un combat inégal ;
Trop peu d'honneur pour moi suivrait cette victoire :
À vaincre sans péril, on triomphe sans gloire.
435 On te croirait toujours abattu sans effort ;
Et j'aurais seulement le regret de ta mort.

DON RODRIGUE
D'une indigne pitié ton audace est suivie :
Qui m'ose ôter l'honneur craint de m'ôter la vie ?

LE COMTE
Retire-toi d'ici.

notes
_____

1. **rien impossible** : rien d'impossible.
2. **mouvements** : élans.
3. **magnanime** : généreuse.

4. **au** : dans le.
5. **s'intéresse** : s'émeut.

56

DON RODRIGUE

Marchons sans discourir.

passage analysé

LE COMTE

40 Es-tu si las de vivre ?

DON RODRIGUE

As-tu peur de mourir ?

LE COMTE

Viens, tu fais ton devoir, et le fils dégénère[1]
Qui[2] survit un moment à l'honneur de son père.

suite, p. 71

notes

1. dégénère : est indigne.
2. qui : s'il.

Rodrigue, entré sur scène à la fin de l'acte I, a été immédiatement pris à parti par son père, fraîchement offensé par le Comte, le père de Chimène. Don Diègue en appelle à son fils pour le venger de cet affront car sa vieillesse ne lui permet pas de se mesurer au Comte. Pour Rodrigue, le dilemme* est de taille : venger son père, au risque de perdre Chimène en tuant le sien. L'amour, la vengeance et l'honneur sont donc au rendez-vous dès le premier acte, et le suivant ne saurait décevoir les attentes d'un public rompu aux artifices dramatiques* et avide de rebondissements.

Dans la scène 2 de l'acte II, Rodrigue se retrouve face à celui qui a déshonoré son père et qui refuse de s'amender malgré la demande pressante de Don Arias au nom du roi (v. 363 : « *Le roi vous aime encore ; apaisez son courroux* »). Le dilemme dans lequel se trouve Rodrigue n'échappe pas au Comte qui essaie d'en tirer profit, notamment en évoquant le mariage prévu avec Chimène. Mais Rodrigue, qui n'est pas encore le Cid, défend les valeurs qui vont l'amener au statut de héros et lui faire remporter ce duel avant tout verbal.

Amour et vengeance : un cruel dilemme

❶ Relisez la scène 3 de l'acte I : à quelle offense Rodrigue répond-il ici et de quelle manière est-elle rappelée par ses premières répliques* ?

❷ Observez les longueurs des répliques : qu'apporte à cette scène l'alternance des stichomythies* et des répliques plus longues ?

❸ Quels champs lexicaux* s'affrontent et signalent d'emblée le dilemme qui est celui de Rodrigue ?

* Cf. Lexique.

❹ Quels arguments le Comte oppose-t-il au désir de vengeance de Rodrigue ?

❺ Par quels procédés lexicaux et métriques* Chimène est-elle mise en valeur dans les arguments du Comte ? Ces arguments provoquent-ils une réaction chez Rodrigue ?

Naissance d'un héros, naissance d'un mythe

❻ Quelle valeur l'emporte finalement aux yeux de Rodrigue dans le cruel dilemme* auquel il est soumis ? Pour appuyer votre réponse, commentez le vers 438.

❼ Quels termes tendent à élaborer un portrait de Rodrigue digne des grands chevaliers ?

❽ Commentez le vers 418. En quoi montre-t-il la détermination de Rodrigue ?

❾ Cherchez trois phrases assertives* à valeur proverbiale. Montrez par quels procédés l'universalité et l'atemporalité sont mises en place. En quoi peut-on dire que ces phrases contribuent à façonner un mythe ?

❿ De quelle manière l'évocation de la vie et la mort assure-t-elle l'enchaînement des répliques* des deux personnages, à partir de la tirade* du Comte (v. 419) ? Quelle issue cela laisse-t-il présager pour cette scène au moins ?

* *Cf.* Lexique.

Pour sa pièce, Corneille s'est inspiré du drame de Guilhem de Castro *Las Mocedades del Cid* paru en 1618. Le Cid est certes un personnage de l'histoire espagnole du XIᵉ siècle, mais le modèle permet à Corneille d'exploiter des thématiques – comme l'amour, l'honneur et la vengeance – compatibles avec les valeurs, les idéaux du classicisme français et la grandiloquence de la dramaturgie* de l'époque.

Corneille ne fut pas le seul à puiser son inspiration dans la littérature espagnole : Tirso de Molina inspira à Molière son *Dom Juan*, *La vie est un songe* de Calderón fut revisitée par Hofmannsthal, Beaumarchais forgea le nom même de son héros grâce à la culture espagnole (Figaro viendrait de *picaro*) et Lesage puisa son *Gil Blas* dans le roman picaresque.

Les documents suivants montrent de quelle manière de grands textes littéraires français se sont inspirés de l'Espagne et de sa littérature, au point parfois d'insuffler quelque couleur locale aux noms, aux lieux, aux codes moraux et sociaux. Et cette influence peut être si forte qu'elle justifie la version clairement hispanisante, jusqu'à inviter le flamenco sur scène, d'une œuvre aussi classique que *Le Cid*.

Texte A : Scène 2 de l'acte II du *Cid* de Corneille (pp. 54 à 57)

Texte B : Molière, *Dom Juan*

Molière fait jouer Dom Juan *pour la première fois en 1665, dans le sillage du* Tartuffe, *interdit suite à la cabale des dévots. Son héros, impie, fourbe, séducteur invétéré et menteur, concentre tous les pires travers de la société de son temps et annonce surtout les libertins du XVIIIᵉ siècle. À l'acte III, pour échapper à des hommes envoyés par Elvire, son épouse abandonnée, Don Juan fuit déguisé, flanqué de Sganarelle qui a lui aussi changé d'habit. En*

* Cf. Lexique.

chemin, il sauve un gentilhomme, Don Carlos, attaqué par des brigands,
sans savoir qu'il s'agit d'un des frères d'Elvire et sans que celui-ci n'ait
identifié Don Juan (acte III, scène 3). Reconnaissant de lui avoir sauvé la vie,
il vient de lui faire part de sa profonde gratitude.

Scène 4. Don Alonse *et trois suivants,* Don Carlos, Don Juan, Sganarelle.

Don Alonse. Faites boire là mes chevaux, et qu'on les amène après nous[1] ;
je veux un peu marcher à pied. Ô Ciel ! que vois-je ici ? Quoi, mon frère,
vous voilà avec notre ennemi mortel ?

Don Carlos. Notre ennemi mortel ?

Don Juan, *se reculant trois pas et mettant fièrement la main sur la garde de*
son épée. Oui, je suis Don Juan moi-même, et l'avantage du nombre ne
m'obligera pas à vouloir déguiser mon nom.

Don Alonse. Ah ! traître, il faut que tu périsses, et...

Don Carlos. Ah ! mon frère, arrêtez ! je lui suis redevable de la vie ; et sans
le secours de son bras, j'aurais été tué par des voleurs que j'ai trouvés.

Don Alonse. Et voulez-vous que cette considération empêche notre
vengeance ? Tous les services que nous rend une main ennemie ne sont
d'aucun mérite pour engager notre âme ; et s'il faut mesurer l'obligation à l'injure, votre reconnaissance, mon frère, est ici ridicule ; et
comme l'honneur est infiniment plus précieux que la vie, c'est ne devoir
rien proprement que d'être redevable de la vie à qui nous a ôté
l'honneur.

Don Carlos. Je sais la différence, mon frère, qu'un gentilhomme doit
toujours mettre entre l'un et l'autre, et la reconnaissance de l'obligation[2] n'efface point en moi le ressentiment de l'injure ; mais souffrez
que je lui rende ici ce qu'il m'a prêté, que je m'acquitte sur-le-champ de
la vie que je lui dois par un délai de notre vengeance, et lui laisse la
liberté de jouir durant quelques jours du fruit de son bienfait.

Don Alonse. Non, non, c'est hasarder notre vengeance que de la reculer, et
l'occasion de la prendre peut ne plus revenir. Le Ciel nous l'offre ici, c'est
à nous d'en profiter. Lorsque l'honneur est blessé mortellement, on ne
doit point songer à garder aucunes mesures[3] ; et si vous répugnez à[4]
prêter votre bras à cette action, vous n'avez qu'à vous retirer et laisser
à ma main la gloire d'un tel sacrifice.

Don Carlos. De grâce, mon frère...

Don Alonse. Tous ces discours sont superflus ; il faut qu'il meure.

Don Carlos. Arrêtez-vous, dis-je, mon frère. Je ne souffrirai point du tout qu'on attaque ses jours[5], et je jure le Ciel que je le défendrai ici contre qui que ce soit, et je saurai lui faire un rempart de cette même vie qu'il a sauvée ; et pour adresser vos coups, il faudra que vous me perciez.

Don Alonse. Quoi ! vous prenez le parti de notre ennemi contre moi, et loin d'être saisi à son aspect des mêmes transports[6] que je sens, vous faites voir pour lui des sentiments pleins de douceur ?

Don Carlos. Mon frère, montrons de la modération dans une action légitime, et ne vengeons point notre honneur avec cet emportement que vous témoignez. Ayons du cœur[7] dont nous soyons les maîtres, une valeur qui n'ait rien de farouche[8], et qui se porte aux choses par une pure délibération de notre raison, et non point par le mouvement d'une aveugle colère. Je ne veux point, mon frère, demeurer redevable à mon ennemi, et je lui ai une obligation dont il faut que je m'acquitte avant toute chose. Notre vengeance, pour être différée, n'en sera pas moins éclatante : au contraire, elle en tirera de l'avantage ; et cette occasion de l'avoir pu prendre la fera paraître plus juste aux yeux de tout le monde.

Don Alonse. Ô l'étrange faiblesse, et l'aveuglement effroyable d'hasarder ainsi les intérêts de son honneur pour la ridicule pensée d'une obligation chimérique !

Don Carlos. Non, mon frère, ne vous mettez pas en peine. Si je fais une faute, je saurai bien la réparer, et je me charge de tout le soin de notre honneur ; je sais à quoi il nous oblige, et cette suspension[9] d'un jour, que ma reconnaissance lui demande, ne fera qu'augmenter l'ardeur que j'ai de le satisfaire. Don Juan, vous voyez que j'ai soin de vous rendre le bien que j'ai reçu de vous, et vous devez par là juger du reste, croire que je m'acquitte avec même chaleur[10] de ce que je dois, et que je ne serai pas moins exact à vous payer l'injure que le bienfait. Je ne veux point vous obliger ici à expliquer vos sentiments[11], et je vous donne la liberté de penser à loisir aux résolutions que vous avez à prendre. Vous connaissez assez la grandeur de l'offense que vous nous avez faite, et je vous fais juge vous-même des réparations qu'elle demande. Il est des moyens doux pour nous satisfaire ; il en est de violents et de sanglants ; mais enfin, quelque choix que vous fassiez, vous m'avez donné parole de me faire faire raison par Dom Juan[12], songez à me la faire[13], je vous prie, et vous ressouvenez[14] que, hors d'ici, je ne dois plus qu'à mon honneur.

DON JUAN. Je n'ai rien exigé de vous, et vous tiendrai ce que j'ai promis.
DON CARLOS. Allons, mon frère : un moment de douceur ne fait aucune
injure à la sévérité de notre devoir.

Molière, *Dom Juan*, scène 4 de l'acte III, publication posthume en 1682.

1. **après nous** : derrière (*après*, au XVIIe siècle, indiquait aussi un rapport de lieu).
2. **la reconnaissance de l'obligation** : le fait que je reconnaisse la dette morale que j'ai envers lui.
3. **aucunes mesures** : aucun ménagement, aucune bonne disposition (*aucun* pouvait s'employer au pluriel au XVIIe siècle).
4. **vous répugnez à** : vous mettez obstacle à.
5. **on attaque ses jours** : on attente à sa vie.
6. **transports** : manifestations de colère.
7. **cœur** : courage, fierté.
8. **farouche** : qui manifeste de la violence, de la sauvagerie, de l'agressivité.
9. **suspension** : délai.
10. **chaleur** : zèle, empressement.
11. **expliquer vos sentiments** : exposer ce que vous comptez faire.
12. **me faire faire raison par Don Juan** : que Don Juan m'en répondrait.
13. **me la faire** : me rendre justice.
14. **vous ressouvenez** : rappelez-vous.

Texte C : Victor Hugo, *Ruy Blas*

Le thème de Ruy Blas *(le valet déclassé) n'est pas original en soi. Victor Hugo l'emprunte aux* Précieuses ridicules *de Molière, y ajoutant la tonalité tragique. Quant aux sources historiques et à la couleur locale espagnole, il les a sans doute puisées en partie chez l'abbé de Vayrac (*État présent de l'Espagne, *1718). Le personnage de Don César, quant à lui, vient directement du roman picaresque espagnol. À l'acte III, Ruy Blas / Don César, devenu Premier ministre grâce à la Reine, se rend dans la salle du gouvernement, au palais du roi à Madrid, pour assister au Conseil des ministres alors que ceux-ci ont bien du mal à cacher leur mépris à l'égard de cette nomination rapide (v. 982 : « Le voilà secrétaire / Universel, ministre, et puis duc d'Olmedo ! / En six mois ! »).*

Scène 2. *Les mêmes*[1], RUY BLAS, *puis* UN HUISSIER, UN PAGE.

RUY BLAS, *survenant.*
Bon appétit, messieurs ! –
Tous se retournent. Silence de surprise et d'inquiétude. Ruy Blas se couvre, croise les bras, et poursuit en les regardant en face.
Ô ministres intègres !
Conseillers vertueux ! Voilà votre façon
De servir, serviteurs qui pillez la maison !
Donc vous n'avez pas honte et vous choisissez l'heure,

63

L'heure sombre où l'Espagne agonisante pleure !
Donc vous n'avez ici pas d'autres intérêts
Que remplir votre poche et vous enfuir après !
Soyez flétris, devant votre pays qui tombe,
Fossoyeurs qui venez le voler dans sa tombe !
– Mais voyez, regardez, ayez quelque pudeur.
L'Espagne et sa vertu, l'Espagne et sa grandeur,
Tout s'en va. – Nous avons, depuis Philippe Quatre,
Perdu le Portugal, le Brésil, sans combattre[2] ;
En Alsace Brisach, Steinfort en Luxembourg,
Et toute la Comté[3] jusqu'au dernier faubourg ;
Le Roussillon, Ormuz, Goa, cinq mille lieues
De côte, et Pernambouc, et les montagnes Bleues[4] !
Mais voyez. – Du ponant[5] jusques à l'orient,
L'Europe, qui vous hait, vous regarde en riant.
Comme si votre roi n'était plus qu'un fantôme,
La Hollande et l'Anglais partagent ce royaume ;
Rome vous trompe ; il faut ne risquer qu'à demi
Une armée en Piémont, quoique pays ami ;
La Savoie et son duc sont pleins de précipices.
La France, pour vous prendre, attend des jours propices.
L'Autriche aussi vous guette. Et l'infant bavarois[6]
Se meurt, vous le savez. – Quant à vos vice-rois,
Médina[7], fou d'amour, emplit Naples d'esclandres[8],
Vaudémont[9] vend Milan, Legañez[10] perd les Flandres.
Quel remède à cela ? – L'État est indigent[11],
L'État est épuisé de troupes et d'argent ;
Nous avons sur la mer, où Dieu met ses colères,
Perdu trois cents vaisseaux, sans compter les galères.
Et vous osez !... – Messieurs, en vingt ans, songez-y,
Le peuple, – j'en ai fait le compte, et c'est ainsi ! –
Portant sa charge énorme et sous laquelle il ploie,
Pour vous, pour vos plaisirs, pour vos filles de joie,
Le peuple misérable, et qu'on pressure encor,
À sué quatre cent trente millions d'or !
Et ce n'est pas assez ! Et vous voulez, mes maîtres !... –
Ah ! j'ai honte pour vous ! – Au-dedans, routiers[12], reîtres[13],
Vont battant le pays et brûlant la moisson.

L'escopette[14] est braquée au coin de tout buisson.

Comme si c'était peu de la guerre des princes,

Guerre entre les couvents, guerre entre les provinces,

Tous voulant dévorer leur voisin éperdu,

Morsures d'affamés sur un vaisseau perdu !

Notre église en ruine est pleine de couleuvres ;

L'herbe y croît. Quant aux grands, des aïeux, mais pas d'œuvres.

Tout se fait par intrigue et rien par loyauté.

L'Espagne est un égout où vient l'impureté

De toute nation. Tout seigneur à ses gages

À cent coupe-jarrets[15] qui parlent cent langages.

Génois, Sardes, Flamands. Babel[16] est dans Madrid.

L'alguazil[17], dur au[18] pauvre, au riche s'attendrit.

La nuit on assassine, et chacun crie : À l'aide !

– Hier on m'a volé, moi, près du pont de Tolède ! –

La moitié de Madrid pille l'autre moitié.

Tous les juges vendus. Pas un soldat payé.

Anciens vainqueurs du monde, Espagnols que nous sommes,

Quelle armée avons-nous ? À peine six mille hommes,

Qui vont pieds nus. Des gueux, des juifs, des montagnards,

S'habillant d'une loque et s'armant de poignards.

Aussi d'un régiment toute bande[19] se double.

Sitôt que la nuit tombe, il est une heure trouble

Où le soldat douteux se transforme en larron[20].

Matalobos[21] a plus de troupes qu'un baron.

Un voleur fait chez lui la guerre au roi d'Espagne.

Hélas ! les paysans qui sont dans la campagne

Insultent en passant la voiture du roi.

Et lui, votre seigneur, plein de deuil et d'effroi,

Seul, dans l'Escurial[22], avec les morts qu'il foule,

Courbe son front pensif sur qui l'empire croule !

– Voilà ! – L'Europe, hélas ! écrase du talon

Ce pays qui fut pourpre[23] et n'est plus que haillon.

L'État s'est ruiné dans ce siècle funeste,

Et vous vous disputez à qui prendra le reste !

Ce grand peuple espagnol aux membres énervés[24],

Qui s'est couché dans l'ombre et sur qui vous vivez,

Expire dans cet antre où son sort se termine,

Triste comme un lion mangé par la vermine !
– Charles-Quint[25], dans ces temps d'opprobre[26] et de terreur,
Que fais-tu dans ta tombe, ô puissant empereur ?
Oh ! lève-toi ! viens voir ! – Les bons font place aux pires.
Ce royaume effrayant, fait d'un amas d'empires,
Penche... Il nous faut ton bras ! Au secours, Charles-Quint !
Car l'Espagne se meurt, car l'Espagne s'éteint !
Ton globe[27], qui brillait dans ta droite[28] profonde,
Soleil éblouissant qui faisait croire au monde
Que le jour désormais se levait à Madrid,
Maintenant, astre mort, dans l'ombre s'amoindrit,
Lune aux trois quarts rongée et qui décroît encore,
Et que d'un autre peuple[29] effacera l'aurore !
Hélas ! ton héritage est en proie aux vendeurs.
Tes rayons, ils en font des piastres[30] ! Tes splendeurs,
On les souille ! – Ô géant ! se peut-il que tu dormes ? –
On vend ton sceptre au poids ! Un tas de nains difformes
Se taillent des pourpoints dans ton manteau de roi ;
Et l'aigle impérial, qui, jadis, sous ta loi,
Couvrait le monde entier de tonnerre et de flamme,
Cuit, pauvre oiseau plumé, dans leur marmite infâme !
Les conseillers se taisent consternés. Seuls le marquis de Priego et le comte de Camporeal redressent la tête et regardent Ruy Blas avec colère. Puis Camporeal, après avoir parlé à Priego, va à la table, écrit quelques mots sur un papier, le signe et le fait signer au Marquis.
Le Comte De Camporeal, *désignant le marquis de Priego et remettant le papier à Ruy Blas.*
Monsieur le duc, – au nom de tous les deux, – voici
Notre démission de notre emploi.
Ruy Blas, *prenant le papier, froidement.*
                                             Merci.
Vous vous retirerez, avec votre famille,
À Priego.
Vous, en Andalousie, –
À Camporeal.
                          Et vous, comte, en Castille.
Chacun dans vos États. Soyez partis demain.

Les deux seigneurs s'inclinent et sortent fièrement, le chapeau sur la tête.
Ruy Blas se tourne vers les autres conseillers.

Quiconque ne veut pas marcher dans mon chemin
Peut suivre ces messieurs.

Silence dans les assistants. Ruy Blas s'assied à la table sur une chaise à dossier placée à droite du fauteuil royal, s'occupe à décacheter une correspondance. Pendant qu'il parcourt les lettres l'une après l'autre, Covadenga, Arias et Ubilla échangent quelques paroles à voix basse.

UBILLA, *à Covadenga, montrant Ruy Blas.*

Fils[31], nous avons un maître.

Cet homme sera grand.

DON MANUEL ARIAS

Oui, s'il a le temps d'être.

COVADENGA

Et s'il ne se perd pas à tout voir de trop près.

UBILLA

Il sera Richelieu !

DON MANUEL ARIAS

S'il n'est Olivarès[32] !

RUY BLAS, *après avoir parcouru vivement une lettre qu'il vient d'ouvrir.*

Un complot ! Qu'est ceci ? Messieurs, que vous disais-je ?
Lisant.

« Duc d'Olmedo, veillez. Il se prépare un piège
« Pour enlever quelqu'un de très grand de Madrid. »
Examinant la lettre.

– On ne nomme pas qui. Je veillerai. – L'écrit
Est anonyme.

Victor Hugo, Ruy Blas, extrait de la scène 2 de l'acte III, 1838.

1. *Les mêmes* : personnages présents dans la scène précédente, soit Don Manuel Arias (président de Castille), Don Pedro Velez de Guevarra (comte de Camporeal, conseiller de cape et d'épée de la *contaduria mayor*, c'est-à-dire un tribunal financier), Don Fernando de Cordova y Aguilar (marquis de Priego, même qualité), Antonio Ubilla (écrivain *mayor* des Rentes, c'est-à-dire contrôleur des Finances), Montazgo (conseiller de robe de la Chambre des Indes), Covadenga (secrétaire suprême des îles Baléares et Canaries) et plusieurs autres conseillers.
2. Cette perte a été causée par la révolte du duc de Bragance en 1640.
3. Brisach, Steinfort, la Franche-Comté, le Roussillon ont été cédés par différents traités au XVIIe siècle.
4. En Alsace [...] Bleues : possessions perdues par les Espagnols.
5. Du ponant : du couchant (l'endroit où le soleil se couche).
6. l'infant bavarois : le prince de Bavière mourut à l'âge de huit ans.
7. Médina : Henriquez de Cabrera, duc de Médina ; grand d'Espagne et vice-roi de Naples.
8. esclandres : scandales.

THEATRE ANTOINE

SIMONE BERRIAU
HELENA BOSSIS et DANIEL DARES présentent
EN ACCORD AVEC EUROPA DELL'ARTE

LE CID

Corneille

" LA LEGENDE FLAMENCO "

Mise en scène
Thomas Le Douarec
Musique Luis de la Carrasca

Gilles Nicoleau

Noemie Dalias
ou Marie Parouty
Jean-Pierre Bernard
Florent Guyot

Alexandra Mercouroff
ou Valérie Vogt
Christian Mulot
Bruno Paviot
ou Lucien Jean-Baptiste
Lionel Fernandez

Danseurs et musiciens : Raquel Gómez, Hermina Rodriguez, Alberto García,
Enrique Muriel, José Palomo / Costumes : Argi Alvez pour "Les Mauvais Garçons"
Décor : Jacques Oursin / Lumière : F-E Valentin

9. **Vaudémont** : grand d'Espagne, gouverneur du Milanais.
10. **Leganez** : ancien vice-roi de la Catalogne.
11. **indigent** : qui manque de moyens, pauvre.
12. **routiers** : soldats d'aventure.
13. **reîtres** : soudards (soldats de métier ; personnes vulgaires).
14. **escopette** : arme à feu à bouche évasée.
15. **coupe-jarrets** : brigands, assassins.
16. **Babel** : référence à la tour qu'édifièrent les fils de Noé pour atteindre le ciel. Dieu anéantit leur vanité en semant la confusion des langues.
17. **alguazil** : agent de police.
18. **au** : envers le, pour le.
19. **bande** : troupe de bandits.
20. **larron** : voleur.
21. **Matalobos** : nom inventé sur le modèle de Matamore et signifiant « tueur de loups ».
22. **Escurial** : monastère et palais édifiés au nord de Madrid par Philippe II.
23. **pourpre** : allusion à la puissance des cardinaux, mais aussi à celle des rois.
24. **énervés** : privés de ses nerfs.
25. **Charles-Quint** : descendant des Habsbourg, Charles Quint (1500-1558) gouverna les Pays-Bas puis la Castille, entre autres. Ce fut un farouche combattant des Ottomans et un rival de François Ier contre qui il mena plusieurs guerres.
26. **opprobre** : état d'avilissement, d'abjection.
27. **Ton globe** : attribut impérial symbolisant la toute-puissance.
28. **droite** : ta main droite.
29. **d'un autre peuple** : la France ou l'Angleterre qui prendront part à la guerre de la Succession d'Espagne (1701-1714).
30. **piastre** : monnaie d'argent valant environ cinq francs.
31. **Fils** : expression utilisée par un homme d'un certain âge s'adressant à un jeune homme.
32. **Olivarès** : ministre de Philippe IV, qui gouverna à sa place ; sa politique ne fut pas des plus favorables à l'Espagne, qui y perdit des provinces (Artois, Roussillon) et vit le Portugal devenir indépendant.

Document : Affiche de la version flamenco du *Cid*

En 1998, Thomas Le Douarec crée une audacieuse mise en scène du Cid : le flamenco s'invite sur scène et exacerbe les élans passionnés des personnages cornéliens. Le dramaturge* joue aussi beaucoup sur l'ambiguïté de la tragi-comédie en suscitant le rire, notamment avec un roi de Castille bouffon. L'affiche est elle aussi audacieuse et met en scène Rodrigue et Chimène nus, pris dans le tourment de leur passion et de la vengeance.

Document ci-contre.

Corpus

Texte A : Scène 2 de l'acte II du *Cid* de Pierre Corneille (pp. 54-57).
Texte B : Extrait de la scène 4 de l'acte III de *Dom Juan* de Molière (pp. 60-63).
Texte C : Extrait de la scène 2 de l'acte III de *Ruy Blas* de Victor Hugo (pp. 63-69).
Document : Affiche de la version flamenco du *Cid* (pp. 68-69).

.... **Examen des textes et de l'image** ....

❶ Dans ces textes et ce document, quels indices mettent d'emblée en place la couleur locale espagnole ?

❷ Dans les trois textes, à quel vice ou à quelle offense s'attaque la vengeance ?

❸ Dans chaque texte, quelles qualités manifeste celui par qui s'accomplit la vengeance ?

❹ Montrez quelle attitude grandiloquente (verbale, gestuelle) caractérise celui qui accomplit la vengeance et défend l'honneur (textes A, B et C).

❺ En quoi l'affiche fait-elle écho à la scène du *Cid* étudiée dans ce corpus (document) ?

❻ En quoi honneur et vengeance se dégagent-ils comme des thèmes intemporels, à travers ces textes et ce document ?

❼ Quel est le sens de la nudité dans l'affiche et à quel(s) passage(s) de la pièce se rapporte-t-elle ?

.... **Travaux d'écriture** ....

Question préliminaire

De quelle manière l'Espagne apporte-t-elle aux trois textes et au document un contexte propice à développer les thèmes de la vengeance et de l'honneur ?

Commentaire

Vous ferez le commentaire de l'extrait de *Ruy Blas* de Victor Hugo (texte C).

Dissertation

Dans quelle mesure la littérature vous semble-t-elle être une réécriture de thèmes éternels et universels ?

Écriture d'invention

Imaginez le dialogue théâtral entre Chimène et Rodrigue correspondant à la scène précise représentée par l'affiche. Vous pourrez utiliser des didascalies* et vous prendrez soin de varier les modes d'expression propres à ce type de discours (ponctuation, types de répliques*...).

* Cf. Lexique.

Scène 3   L'INFANTE, CHIMÈNE, LÉONOR

L'INFANTE
Apaise, ma Chimène, apaise ta douleur :
Fais agir ta constance[1] en ce coup de malheur.
45 Tu reverras le calme après ce faible orage ;
Ton bonheur n'est couvert que d'un peu de nuage,
Et tu n'as rien perdu pour le voir différer.

CHIMÈNE
Mon cœur outré d'ennuis[2] n'ose rien espérer.
Un orage si prompt qui trouble une bonace[3]
50 D'un naufrage certain nous porte la menace :
Je n'en saurais douter, je péris dans le port.
J'aimais, j'étais aimée, et nos pères d'accord ;
Et je vous en contais la charmante nouvelle,
Au malheureux moment que[4] naissait leur querelle,
55 Dont le récit fatal, sitôt qu'on vous l'a fait,
D'une si douce attente a ruiné l'effet.
Maudite ambition, détestable manie[5],
Dont les plus généreux souffrent la tyrannie !
Honneur impitoyable à mes plus chers désirs,
60 Que tu vas me coûter de pleurs et de soupirs !

L'INFANTE
Tu n'as dans leur querelle aucun sujet de craindre :
Un moment l'a fait naître, un moment va l'éteindre.
Elle a fait trop de bruit pour ne pas s'accorder[6],
Puisque déjà le Roi les veut accommoder[7] ;

---

notes

1. **constance :** fermeté d'âme.
2. **outré d'ennuis :** accablé de douleurs.
3. **bonace :** calme plat (sur la mer).
4. **que :** où.

5. **manie :** folie.
6. **s'accorder :** s'apaiser, aboutir à un accord.
7. **accommoder :** réconcilier.

L'Infante (Marie Matheron) face à Chimène (Marianne Basler), dans la mise en scène de Gérard Desarthe (Bobigny, 1988).

465 Et tu sais que mon âme, à tes ennuis sensible,
Pour en tarir la source y[1] fera l'impossible.

CHIMÈNE
Les accommodements ne font rien en ce point ;
De si mortels affronts ne se réparent point.
En vain on fait agir la force ou la prudence[2] :
470 Si l'on guérit le mal, ce n'est qu'en apparence.
La haine que les cœurs conservent au dedans
Nourrit des feux[3] cachés, mais d'autant plus ardents.

L'INFANTE
Le saint nœud[4] qui joindra don Rodrigue et Chimène
Des pères ennemis dissipera la haine ;
475 Et nous verrons bientôt votre amour le plus fort
Par un heureux hymen[5] étouffer ce discord[6].

CHIMÈNE
Je le souhaite ainsi plus que je ne l'espère :
Don Diègue est trop altier[7] et je connais mon père.
Je sens couler des pleurs que je veux retenir ;
480 Le passé me tourmente, et je crains l'avenir.

L'INFANTE
Que crains-tu ? d'un vieillard l'impuissante faiblesse ?

CHIMÈNE
Rodrigue a du courage.

L'INFANTE
                                        Il a trop de jeunesse.

CHIMÈNE
Les hommes valeureux le sont du premier coup.

otes

1. **y** : en cette occasion.
2. **prudence** : sagesse.
3. **feux** : ici, passions violentes.
4. **saint nœud** : lien du mariage.
5. **hymen** : mariage.
6. **discord** : discorde.
7. **altier** : fier, orgueilleux.

L'INFANTE
Tu ne dois pas pourtant le redouter beaucoup :
485 Il est trop amoureux pour te vouloir déplaire,
Et deux mots de ta bouche arrêtent sa colère.

CHIMÈNE
S'il ne m'obéit point, quel comble à mon ennui[1] !
Et s'il peut m'obéir, que dira-t-on de lui ?
Étant né ce qu'il est, souffrir un tel outrage !
490 Soit qu'il cède ou résiste au feu qui me l'engage[2],
Mon esprit ne peut qu'être ou honteux ou confus[3],
De son trop de respect, ou d'un juste refus.

L'INFANTE
Chimène a l'âme haute, et quoiqu'intéressée[4],
Elle ne peut souffrir une basse pensée ;
495 Mais si jusques au jour de l'accommodement
Je fais mon prisonnier de ce parfait amant[5]
Et que j'empêche ainsi l'effet de son courage,
Ton esprit amoureux n'aura-t-il point d'ombrage[6] ?

CHIMÈNE
Ah ! Madame, en ce cas je n'ai plus de souci.

Scène 4
L'INFANTE, CHIMÈNE, LÉONOR, LE PAGE

L'INFANTE
500 Page, cherchez Rodrigue, et l'amenez ici.

notes ....

1. ennui : douleur, tourment.
2. au feu qui me l'engage : à la passion
amoureuse qui l'engage envers moi.
3. confus : bouleversé.

4. intéressée : concernée.
5. amant : qui aime et est aimé.
6. ombrage : inquiétude.

LE PAGE
Le comte de Gormas[1] et lui...

CHIMÈNE

Bon Dieu ![2] je tremble.

L'INFANTE
Parlez.

LE PAGE

De ce palais ils sont sortis ensemble.

CHIMÈNE
Seuls ?

LE PAGE

Seuls, et qui semblaient tout bas se quereller.

CHIMÈNE
Sans doute[3] ils sont aux mains, il n'en[4] faut plus parler.
05   Madame, pardonnez à cette promptitude[5].

Scène 5   L'INFANTE, LÉONOR

L'INFANTE
Hélas ! que dans l'esprit je sens d'inquiétude !
Je pleure ses malheurs, son amant me ravit[6] ;
Mon repos m'abandonne, et ma flamme revit.
Ce qui va séparer Rodrigue de Chimène
10   Fait renaître à la fois mon espoir et ma peine ;
Et leur division[7], que je vois à regret,
Dans mon esprit charmé jette un plaisir secret.

---

otes ....

1. Le comte de Gormas : Don Gomès, père de
Chimène.
2. Bon Dieu ! : invocation, « Dieu bon ! ».
3. Sans doute : certainement.

4. en : renvoie à la proposition de l'Infante.
5. à cette promptitude : ma hâte à sortir.
6. me ravit : m'inspire un amour passionné.
7. division : séparation.

LÉONOR
Cette haute vertu qui règne dans votre âme
Se rend-elle sitôt à cette lâche flamme ?

L'INFANTE
515 Ne la nomme point lâche, à présent que chez moi
Pompeuse[1] et triomphante elle me fait la loi :
Porte-lui du respect, puisqu'elle m'est si chère.
Ma vertu la combat, mais malgré moi j'espère ;
Et d'un si fol espoir mon cœur mal défendu
520 Vole après un amant que Chimène a perdu.

LÉONOR
Vous laissez choir ainsi ce glorieux courage,
Et la raison chez vous perd ainsi son usage ?

L'INFANTE
Ah ! qu'avec peu d'effet[2] on entend la raison,
Quand le cœur[3] est atteint d'un si charmant poison !
525 Et lorsque le malade aime sa maladie,
Qu'il a peine à souffrir que l'on y remédie !

LÉONOR
Votre espoir vous séduit[4], votre mal vous est doux ;
Mais enfin ce Rodrigue est indigne de vous.

L'INFANTE
Je ne le sais que trop ; mais si ma vertu cède,
530 Apprends comme l'amour flatte[5] un cœur qu'il possède.
Si Rodrigue une fois[6] sort vainqueur du combat,
Si dessous[7] sa valeur ce grand guerrier s'abat[8],
Je puis en faire cas[9], je puis l'aimer sans honte.

notes

1. **pompeuse** : glorieuse.
2. **effet** : efficacité.
3. **cœur** : ici, siège des sentiments.
4. **séduit** : trompe.
5. **flatte** : induit en erreur.
6. **une fois** : jamais.
7. **dessous** : sous.
8. **s'abat** : est abattu.
9. **en faire cas** : m'intéresser à lui.

Que ne fera-t-il point, s'il peut vaincre le Comte ?
35 J'ose m'imaginer qu'à ses moindres exploits
Les royaumes entiers tomberont sous ses lois ;
Et mon amour flatteur déjà me persuade
Que je le vois assis au trône de Grenade,
Les Mores[1] subjugués trembler en l'adorant,
40 L'Aragon recevoir ce nouveau conquérant,
Le Portugal[2] se rendre, et ses nobles journées[3]
Porter delà les[4] mers ses hautes destinées,
Du sang des Africains arroser ses lauriers :
Enfin tout ce qu'on dit des plus fameux guerriers,
45 Je l'attends de Rodrigue après cette victoire,
Et fais de son amour[5] un sujet de ma gloire.

LÉONOR

Mais, Madame, voyez où vous portez son bras
Ensuite[6] d'un combat qui peut-être n'est pas.

L'INFANTE

Rodrigue est offensé ; le Comte a fait l'outrage ;
50 Ils sont sortis ensemble : en faut-il davantage ?

LÉONOR

Eh bien ! ils se battront, puisque vous le voulez ;
Mais Rodrigue ira-t-il si loin que vous allez ?

L'INFANTE

Que veux-tu ? je suis folle, et mon esprit s'égare :
Tu vois par là quels maux cet amour me prépare.
55 Viens dans mon cabinet[7] consoler mes ennuis,
Et ne me quitte point dans le trouble où je suis.

Notes

1. **Mores :** ou Maures ; Berbères et Arabes venus d'Afrique du Nord et qui ont envahi une grande partie de l'Espagne en 712.
2. Le Portugal, alors occupé par les Mores.
3. **journées :** faits d'armes accomplis en un jour.

4. **delà les :** au-delà des.
5. **son amour :** l'amour que je lui porte.
6. **ensuite :** à la suite.
7. **cabinet :** pièce retirée dans le palais.

Scène 6

DON FERNAND, DON ARIAS,
DON SANCHE

DON FERNAND
Le Comte est donc si vain et si peu raisonnable !
Ose-t-il croire encor son crime pardonnable ?

DON ARIAS
Je l'ai de votre part longtemps entretenu ;
560 J'ai fait mon pouvoir[1], Sire, et n'ai rien obtenu.

DON FERNAND
Justes cieux ! ainsi donc un sujet téméraire
A si peu de respect et de soin[2] de me plaire !
Il offense don Diègue, et méprise son roi !
Au milieu de ma cour il me donne la loi !
565 Qu'il soit brave guerrier, qu'il soit grand capitaine,
Je saurai bien rabattre une humeur[3] si hautaine.
Fût-il la valeur même, et le dieu des combats,
Il verra ce que c'est[4] que de n'obéir pas.
Quoi qu'ait pu mériter une telle insolence,
570 Je l'ai voulu d'abord traiter sans violence ;
Mais puisqu'il en abuse, allez dès aujourd'hui,
Soit qu'il résiste ou non, vous assurer de lui[5].

DON SANCHE
Peut-être un peu de temps le rendrait moins rebelle :
On l'a pris tout bouillant encor de sa querelle ;
575 Sire, dans la chaleur d'un premier mouvement,
Un cœur si généreux se rend malaisément.
Il voit bien qu'il a tort, mais une âme si haute
N'est pas sitôt[6] réduite à confesser sa faute.

notes
----

1. **mon pouvoir** : mon possible.
2. **soin** : souci.
3. **humeur** : caractère.

4. **ce que c'est** : ce qu'il en coûte.
5. **vous assurer de lui** : l'arrêter.
6. **sitôt** : si vite.

DON FERNAND
Don Sanche, taisez-vous, et soyez averti
580 Qu'on se rend criminel à prendre son parti.

DON SANCHE
J'obéis, et me tais ; mais de grâce encor, Sire,
Deux mots en sa défense.

DON FERNAND
                              Et que pouvez-vous dire ?

DON SANCHE
Qu'une âme accoutumée aux grandes actions
Ne se peut abaisser à des submissions[1] :
585 Elle n'en conçoit point qui s'expliquent sans honte,
Et c'est à ce mot seul qu'a résisté le Comte.
Il trouve en son devoir un peu trop de rigueur,
Et vous obéirait, s'il avait moins de cœur.
Commandez que son bras, nourri dans les alarmes[2],
590 Répare cette injure à la pointe des armes,
Il satisfera[3], Sire ; et vienne qui voudra[4],
Attendant[5] qu'il l'ait su, voici qui répondra[6].

DON FERNAND
Vous perdez le respect ; mais je pardonne à l'âge[7],
Et j'excuse l'ardeur en un jeune courage.
595 Un roi dont la prudence a de meilleurs objets[8]
Est meilleur ménager[9] du sang de ses sujets :
Je veille pour les miens, mes soucis les conservent,
Comme le chef[10] a soin des membres qui le servent.

---

otes

1. **submissions** : soumissions.
2. **nourri dans les alarmes** : formé dans les combats.
3. **Il satisfera** : sous-entendu « à l'obligation de réparer l'affront ».
4. **vienne qui voudra** : quel que soit celui qui viendra.
5. **attendant** : avant même.
6. **voici qui répondra** : c'est moi qui me battrai pour lui (Don Sanche désigne son épée).
7. **l'âge** : la jeunesse de Don Sanche.
8. **objets** : intentions.
9. **meilleur ménager** : plus économe.
10. **chef** : tête.

Ainsi votre raison[1] n'est pas raison pour moi :
600 Vous parlez en soldat ; je dois agir en roi ;
Et quoi qu'on veuille dire, et quoi qu'il ose croire,
Le Comte à m'obéir[2] ne peut perdre sa gloire.
D'ailleurs l'affront me touche : il a perdu d'honneur[3]
Celui que de mon fils j'ai fait le gouverneur ;
605 S'attaquer à mon choix, c'est se prendre à moi-même,
Et faire un attentat sur le pouvoir suprême.
N'en parlons plus. Au reste, on a vu dix vaisseaux
De nos vieux ennemis arborer les drapeaux ;
Vers la bouche du fleuve[4] ils ont osé paraître.

DON ARIAS
610 Les Mores ont appris par force à vous connaître,
Et tant de fois vaincus, ils ont perdu le cœur[5]
De se plus hasarder[6] contre un si grand vainqueur.

DON FERNAND
Ils ne verront jamais sans quelque jalousie
Mon sceptre, en dépit d'eux, régir l'Andalousie ;
615 Et ce pays si beau, qu'ils ont trop possédé,
Avec un œil d'envie est toujours regardé.
C'est l'unique raison qui m'a fait dans Séville
Placer depuis dix ans le trône de Castille[7],
Pour les voir de plus près, et d'un ordre plus prompt[8]
620 Renverser aussitôt ce qu'ils entreprendront.

notes
_____

1. votre raison : ce qui est raisonnable pour vous.
2. à m'obéir : en m'obéissant.
3. a perdu d'honneur : a déshonoré.
4. bouche du fleuve : embouchure du fleuve Guadalquivir.

5. le cœur : ici, l'envie, le courage.
6. se plus hasarder : se risquer davantage.
7. Anachronisme : Séville n'appartiendra au trône de Castille qu'en 1248.
8. d'un ordre plus prompt : par une réaction plus rapide.

DON ARIAS
Ils savent aux dépens de leurs plus dignes têtes
Combien votre présence assure vos conquêtes :
Vous n'avez rien à craindre.

DON FERNAND
                            Et rien à négliger :
Le trop de confiance attire le danger ;
25   Et vous n'ignorez pas qu'avec fort peu de peine
Un flux de pleine mer[1] jusqu'ici les amène.
Toutefois j'aurais tort de jeter dans les cœurs,
L'avis étant mal sûr[2], de paniques terreurs.
L'effet que produirait cette alarme inutile,
30   Dans la nuit qui survient troublerait trop la ville :
Faites doubler la garde aux murs et sur le port.
C'est assez pour ce soir.

Scène 7
DON FERNAND, DON SANCHE,
DON ALONSE

DON ALONSE
                        Sire, le Comte est mort.
Don Diègue, par son fils, a vengé son offense.

DON FERNAND
Dès que j'ai su l'affront, j'ai prévu la vengeance ;
35   Et j'ai voulu dès lors prévenir[3] ce malheur.

DON ALONSE
Chimène à vos genoux apporte sa douleur ;
Elle vient tout en pleurs vous demander justice.

notes

1. **flux de pleine mer :** forte marée venant de la haute mer.
2. **mal sûr :** encore incertain.
3. **prévenir :** éviter.

DON FERNAND
Bien qu'à ses déplaisirs[1] mon âme compatisse,
Ce que le Comte a fait semble avoir mérité
640 Ce digne[2] châtiment de sa témérité.
Quelque juste pourtant que puisse être sa peine,
Je ne puis sans regret perdre un tel capitaine.
Après un long service à mon État rendu,
Après son sang pour moi mille fois répandu,
645 À quelques sentiments que son orgueil m'oblige[3],
Sa perte m'affaiblit, et son trépas m'afflige.

Scène 8

DON FERNAND, DON DIÈGUE, CHIMÈNE,
DON SANCHE, DON ARIAS, DON ALONSE

CHIMÈNE
Sire, Sire, justice !

DON DIÈGUE
                    Ah ! Sire, écoutez-nous.

CHIMÈNE
Je me jette à vos pieds.

DON DIÈGUE
                    J'embrasse vos genoux.

CHIMÈNE
Je demande justice.

DON DIÈGUE
                    Entendez ma défense.

notes

1. **déplaisirs** : douleur, désespoir.
2. **digne** : juste.

3. **à quelques [...] m'oblige** : quelle que soit la
colère que son orgueil m'a obligé à éprouver.

CHIMÈNE
50 D'un jeune audacieux punissez l'insolence :
Il a de votre sceptre abattu le soutien,
Il a tué mon père.

DON DIÈGUE
        Il a vengé le sien.

CHIMÈNE
Au sang de ses sujets un roi doit la justice.

DON DIÈGUE
Pour la juste vengeance il n'est point de supplice.

DON FERNAND
55 Levez-vous l'un et l'autre, et parlez à loisir.
Chimène, je prends part à votre déplaisir ;
D'une égale douleur, je sens mon âme atteinte.

               (À Don Diègue.)

Vous parlerez après, ne troublez pas sa plainte.

CHIMÈNE
Sire, mon père est mort ; mes yeux ont vu son sang
60 Couler à gros bouillons de son généreux flanc ;
Ce sang qui tant de fois garantit vos murailles,
Ce sang qui tant de fois vous gagna des batailles,
Ce sang qui tout sorti fume encor de courroux
De se voir répandu pour d'autres que pour vous,
65 Qu'au milieu des hasards[1] n'osait verser la guerre,
Rodrigue en votre cour vient d'en couvrir la terre.
J'ai couru sur le lieu, sans force et sans couleur :
Je l'ai trouvé sans vie. Excusez ma douleur,
Sire, la voix me manque à ce récit funeste[2] ;
70 Mes pleurs et mes soupirs vous diront mieux le reste.

---

otes

1. **hasards** : dangers. | 2. **funeste** : porteur de mort.

DON FERNAND
Prends courage, ma fille, et sache qu'aujourd'hui
Ton roi te veut servir de père au lieu de lui.

CHIMÈNE
Sire, de trop d'honneur ma misère est suivie.
Je vous l'ai déjà dit, je l'ai trouvé sans vie ;
675 Son flanc était ouvert ; et pour mieux m'émouvoir,
Son sang sur la poussière écrivait mon devoir ;
Ou plutôt sa valeur en cet état réduite[1]
Me parlait par sa plaie, et hâtait ma poursuite[2] ;
Et pour se faire entendre au plus juste des rois,
680 Par cette triste bouche[3] elle empruntait ma voix.
Sire, ne souffrez pas que sous votre puissance
Règne devant vos yeux une telle licence[4] ;
Que les plus valeureux, avec impunité[5],
Soient exposés aux coups de la témérité ;
685 Qu'un jeune audacieux triomphe de leur gloire,
Se baigne dans leur sang, et brave leur mémoire.
Un si vaillant guerrier qu'on vient de vous ravir
Éteint, s'il n'est vengé, l'ardeur de vous servir.
Enfin mon père est mort, j'en demande vengeance,
690 Plus pour votre intérêt que pour mon allégeance[6].
Vous perdez en la mort[7] d'un homme de son rang :
Vengez-la par une autre, et le sang par le sang.
Immolez[8], non à moi, mais à votre couronne,
Mais à votre grandeur, mais à votre personne,
695 Immolez, dis-je, Sire, au bien de tout l'État
Tout ce[9] qu'enorgueillit un si haut attentat.

notes

1. **en cet état réduite** : anéantie par la mort.
2. **hâtait ma poursuite** : me pressait de poursuivre son meurtrier.
3. **cette triste bouche** : la plaie.
4. **licence** : excès de liberté.
5. **avec impunité** : sans être punis.
6. **allégeance** : soulagement, consolation.
7. **Vous perdez en la mort** : c'est une perte pour vous que la mort.
8. **Immolez** : sacrifiez.
9. **tout ce** : désigne Rodrigue et Don Diègue.

DON FERNAND
Don Diègue, répondez.

DON DIÈGUE
                              Qu'on est digne d'envie
Lorsqu'en perdant la force on perd aussi la vie,
Et qu'un long âge apprête[1] aux hommes généreux,
Au bout de leur carrière, un destin malheureux !
Moi, dont les longs travaux ont acquis tant de gloire,
Moi, que jadis partout a suivi la victoire,
Je me vois aujourd'hui, pour avoir trop vécu,
Recevoir un affront et demeurer vaincu.
Ce que n'a pu jamais combat, siège, embuscade,
Ce que n'a pu jamais Aragon ni Grenade,
Ni tous vos ennemis, ni tous mes envieux,
Le Comte en votre cour l'a fait presque à vos yeux,
Jaloux de votre choix, et fier de l'avantage
Que lui donnait sur moi l'impuissance de l'âge.
Sire, ainsi ces cheveux blanchis sous le harnois[2],
Ce sang pour vous servir prodigué tant de fois,
Ce bras, jadis l'effroi d'une armée ennemie,
Descendaient au tombeau tout chargés d'infamie,
Si je n'eusse produit un fils digne de moi,
Digne de son pays et digne de son roi.
Il m'a prêté sa main, il a tué le Comte ;
Il m'a rendu l'honneur, il a lavé ma honte.
Si montrer du courage et du ressentiment,
Si venger un soufflet mérite un châtiment,
Sur moi seul doit tomber l'éclat de la tempête[3] :
Quand le bras a failli[4], l'on en punit la tête.

___

notes

1. **un long âge apprête** : une longue vie prépare.
2. **harnois** : armure du chevalier.
3. **l'éclat de la tempête** : la colère du Roi.
4. **a failli** : a commis une faute.

85

Qu'on nomme crime, ou non, ce qui fait nos débats,
Sire, j'en suis la tête, il n'en est que le bras.
725 Si Chimène se plaint qu'il a tué son père,
Il ne l'eût jamais fait si je l'eusse pu faire.
Immolez donc ce chef que les ans vont ravir,
Et conservez pour vous le bras qui peut servir.
Aux dépens de mon sang satisfaites Chimène :
730 Je n'y résiste point, je consens à ma peine ;
Et loin de murmurer d'un[1] rigoureux décret,
Mourant sans déshonneur, je mourrai sans regret.

DON FERNAND
L'affaire est d'importance, et, bien considérée,
Mérite en plein conseil d'être délibérée.
735 Don Sanche, remettez Chimène en sa maison.
Don Diègue aura ma cour et sa foi[2] pour prison.
Qu'on me cherche son fils. Je vous ferai justice.

CHIMÈNE
Il est juste, grand Roi, qu'un meurtrier périsse.

DON FERNAND
Prends du repos, ma fille, et calme tes douleurs.

CHIMÈNE
740 M'ordonner du repos, c'est croître[3] mes malheurs.

---

notes

| 1. **murmurer d'un** : contester un.
| 2. **foi** : parole donnée de ne pas s'échapper.

| 3. **croître** : augmenter.

Acte III

Scène première   DON RODRIGUE, ELVIRE

(Chez Chimène.)

ELVIRE
Rodrigue, qu'as-tu fait ? où viens-tu, misérable ?

DON RODRIGUE
Suivre le triste cours de mon sort déplorable[1].

ELVIRE
Où prends-tu cette audace et ce nouvel orgueil,
De paraître en des lieux que tu remplis de deuil ?
745   Quoi ? viens-tu jusqu'ici braver l'ombre du Comte ?
Ne l'as-tu pas tué ?

DON RODRIGUE
                              Sa vie était ma honte :
Mon honneur de ma main a voulu cet effort.

note

1. **déplorable :** digne d'être pleuré.

ELVIRE

Mais chercher ton asile en la maison du mort !
Jamais un meurtrier en fit-il son refuge ?

DON RODRIGUE

750 Et je n'y viens aussi que m'offrir[1] à mon juge.
Ne me regarde plus d'un visage étonné ;
Je cherche le trépas après l'avoir donné.
Mon juge est mon amour, mon juge est ma Chimène :
Je mérite la mort de mériter[2] sa haine,
755 Et j'en[3] viens recevoir, comme un bien souverain,
Et l'arrêt[4] de sa bouche, et le coup de sa main.

ELVIRE

Fuis plutôt de[5] ses yeux, fuis de sa violence ;
À ses premiers transports[6] dérobe ta présence :
Va, ne t'expose point aux premiers mouvements
760 Que poussera[7] l'ardeur de ses ressentiments.

DON RODRIGUE

Non, non, ce cher objet[8] à qui j'ai pu déplaire
Ne peut pour mon supplice avoir trop de colère
Et j'évite cent morts qui me vont accabler,
Si pour mourir plus tôt je puis la redoubler[9].

ELVIRE

765 Chimène est au palais, de pleurs toute baignée,
Et n'en reviendra point que bien accompagnée.
Rodrigue, fuis, de grâce : ôte-moi de souci[10].
Que ne dira-t-on point si l'on te voit ici ?
Veux-tu qu'un médisant, pour comble à sa misère,

---

notes

1. **que m'offrir** : que pour me présenter.
2. **de mériter** : puisque je mérite.
3. **en** : de la mort.
4. **arrêt** : sentence.
5. **de** : loin de.
6. **transports** : réactions de colère.
7. **poussera** : provoquera.
8. **objet** : femme aimée.
9. **la redoubler** : doubler sa colère.
10. **ôte-moi de souci** : délivre-moi de ce souci.

70 L'accuse d'y souffrir[1] l'assassin de son père ?
Elle va revenir ; elle vient ; je la voi[2] :
Du moins, pour son honneur, Rodrigue, cache-toi.

cène 2   DON SANCHE, CHIMÈNE, ELVIRE

DON SANCHE
Oui, Madame, il vous faut de sanglantes victimes :
Votre colère est juste, et vos pleurs légitimes,
75 Et je n'entreprends pas, à force de parler[3],
Ni de vous adoucir, ni de vous consoler.
Mais si de vous servir je puis être capable,
Employez mon épée à punir le coupable ;
Employez mon amour à venger cette mort :
80 Sous vos commandements mon bras sera trop[4] fort.

CHIMÈNE
Malheureuse !

DON SANCHE
          De grâce, acceptez mon service[5].

CHIMÈNE
J'offenserais le Roi, qui m'a promis justice.

DON SANCHE
Vous savez qu'elle[6] marche avec tant de langueur[7],
Qu'assez souvent le crime échappe à sa longueur ;
85 Son cours lent et douteux fait trop perdre de larmes.

___

otes

1. **souffrir** : supporter, tolérer.
2. **je la voi** : je la vois (orthographe admise au xviie siècle).
3. **à force de parler** : par mes paroles.
4. **trop** : très.

5. **mon service** : que je mette mon bras à votre service.
6. **elle** : la justice.
7. **langueur** : lenteur.

Souffrez qu'un cavalier vous venge par les armes :
La voie en est plus sûre, et plus prompte à punir.

CHIMÈNE
C'est le dernier remède[1] ; et s'il y faut venir,
Et que de mes malheurs cette pitié vous dure[2],
790 Vous serez libre alors de venger mon injure[3].

DON SANCHE
C'est l'unique bonheur où mon âme prétend ;
Et pouvant l'espérer, je m'en vais trop content[4].

Scène 3   CHIMÈNE, ELVIRE

CHIMÈNE
Enfin, je me vois libre, et je puis sans contrainte
De mes vives douleurs te faire voir l'atteinte[5] ;
795 Je puis donner passage à mes tristes soupirs ;
Je puis t'ouvrir mon âme et tous mes déplaisirs.
Mon père est mort, Elvire ; et la première épée
Dont s'est armé Rodrigue a sa trame coupée[6].
Pleurez, pleurez, mes yeux, et fondez-vous en eau !
800 La moitié de ma vie[7] a mis l'autre[8] au tombeau,
Et m'oblige à venger, après ce coup funeste,
Celle que je n'ai plus sur celle qui me reste.

ELVIRE
Reposez-vous[9], Madame.

notes

1. **remède** : solution.
2. **et que [...] dure** : et que vous avez toujours pitié de mes malheurs.
3. **mon injure** : l'outrage que j'ai subi.
4. **trop content** : tout à fait satisfait.
5. **l'atteinte** : la blessure.
6. **a sa trame coupée** : a coupé la trame de sa vie, a mis fin à ses jours. Allusion aux Parques,

déesses du Destin, qui filaient la vie des hommes et en coupaient le fil pour les faire mourir.
7. **La moitié de ma vie** : Rodrigue.
8. **l'autre** : le père de Chimène.
9. **Reposez-vous** : calmez-vous.

CHIMÈNE

              Ah ! que mal à propos
Dans un malheur si grand tu parles de repos !
05 Par où sera jamais ma douleur apaisée,
Si je ne puis haïr la main qui l'a causée ?
Et que dois-je espérer qu'un[1] tourment éternel,
Si je poursuis un crime, aimant le criminel ?

ELVIRE

Il vous prive d'un père, et vous l'aimez encore !

CHIMÈNE

10 C'est peu de dire aimer, Elvire : je l'adore ;
Ma passion s'oppose à mon ressentiment ;
Dedans[2] mon ennemi je trouve mon amant ;
Et je sens qu'en dépit de toute ma colère,
Rodrigue dans mon cœur combat encor mon père :
15 Il l'attaque, il le presse, il cède, il se défend,
Tantôt fort, tantôt faible, et tantôt triomphant ;
Mais en ce dur combat de colère et de flamme,
Il déchire mon cœur, sans partager mon âme[3] ;
Et quoi que mon amour ait sur moi de pouvoir,
20 Je ne consulte[4] point pour suivre mon devoir :
Je cours sans balancer où mon honneur m'oblige.
Rodrigue m'est bien cher, son intérêt[5] m'afflige,
Mon cœur prend son parti ; mais malgré son effort[6],
Je sais ce que je suis, et que mon père est mort.

ELVIRE

25 Pensez-vous le poursuivre[7] ?

---

1. qu'un : sinon un.
2. dedans : dans.
3. âme : volonté.
4. consulte : délibère.

5. son intérêt : l'amour que je lui porte.
6. son effort : la force de mon amour.
7. poursuivre : poursuivre en justice.

CHIMÈNE

Ah ! cruelle pensée !
Et cruelle poursuite où je me vois forcée !
Je demande sa tête, et crains de l'obtenir :
Ma mort suivra la sienne, et je le veux punir !

ELVIRE

Quittez, quittez, Madame, un dessein[1] si tragique ;
830   Ne vous imposez point de loi si tyrannique.

CHIMÈNE

Quoi ! mon père étant mort, et presque entre mes bras,
Son sang criera vengeance, et je ne l'orrai[2] pas !
Mon cœur, honteusement surpris par d'autres charmes,
Croira ne lui devoir que d'impuissantes larmes !
835   Et je pourrai souffrir qu'un amour suborneur[3]
Sous un lâche silence étouffe mon honneur !

ELVIRE

Madame, croyez-moi, vous serez excusable
D'avoir moins de chaleur[4] contre un objet aimable,
Contre un amant si cher : vous avez assez fait,
840   Vous avez vu le Roi ; n'en pressez point l'effet,
Ne vous obstinez point en cette humeur étrange[5].

CHIMÈNE

Il y va de ma gloire, il faut que je me venge ;
Et de quoi que nous flatte un désir amoureux[6],
Toute excuse est honteuse aux esprits généreux.

ELVIRE

845   Mais vous aimez Rodrigue, il ne vous peut déplaire.

notes

1. **dessein** : projet.
2. **orrai** : entendrai (futur du verbe *ouïr*).
3. **suborneur** : qui détourne du devoir.
4. **chaleur** : colère.
5. **étrange** : excessive.
6. **de quoi [...] amoureux** : quelle que soit la séduction de l'amour.

CHIMÈNE
Je l'avoue.

ELVIRE
                  Après tout[1], que pensez-vous donc faire ?

CHIMÈNE
Pour conserver ma gloire et finir mon ennui,
Le poursuivre, le perdre[2], et mourir après lui.

Scène 4   DON RODRIGUE, CHIMÈNE, ELVIRE

DON RODRIGUE
Eh bien ! sans vous donner la peine de poursuivre,
50 Assurez-vous l'honneur de m'empêcher de vivre.

CHIMÈNE
Elvire, où sommes-nous, et qu'est-ce que je voi ?
Rodrigue en ma maison ! Rodrigue devant moi !

DON RODRIGUE
N'épargnez point mon sang : goûtez sans résistance
La douceur de ma perte et de votre vengeance.

CHIMÈNE
55 Hélas !

DON RODRIGUE
      Écoute-moi.

CHIMÈNE
                  Je me meurs.

DON RODRIGUE
                                    Un moment.

passage analysé

otes ....

1. Après tout : en définitive. | **2. le perdre** : provoquer sa perte.

93

CHIMÈNE
Va, laisse-moi mourir.

DON RODRIGUE
                    Quatre mots seulement :
Après ne me réponds qu'avecque[1] cette épée.

CHIMÈNE
Quoi ! du sang de mon père encor toute trempée !

DON RODRIGUE
Ma Chimène...

CHIMÈNE
                    Ôte-moi cet objet odieux,
860 Qui reproche ton crime et ta vie à mes yeux.

DON RODRIGUE
Regarde-le plutôt pour exciter ta haine,
Pour croître ta colère, et pour hâter ma peine[2].

CHIMÈNE
Il est teint de mon sang.

DON RODRIGUE
                              Plonge-le dans le mien,
Et fais-lui perdre ainsi la teinture[3] du tien.

CHIMÈNE
865 Ah ! quelle cruauté, qui tout en un jour[4] tue
Le père par le fer, la fille par la vue !
Ôte-moi cet objet, je ne le puis souffrir :
Tu veux que je t'écoute, et tu me fais mourir !

DON RODRIGUE
Je fais ce que tu veux, mais sans quitter l'envie
870 De finir par tes mains ma déplorable vie ;

passage analysé

notes

1. **avecque** : forme ancienne de *avec*.
2. **peine** : châtiment.
3. **teinture** : couleur.
4. **tout en un jour** : en un même jour.

94

Car enfin n'attends pas de mon affection
Un lâche repentir d'une bonne action.
L'irréparable effet d'une chaleur trop prompte
Déshonorait mon père, et me couvrait de honte.
875 Tu sais comme un soufflet touche un homme de cœur ;
J'avais part à l'affront, j'en ai cherché l'auteur :
Je l'ai vu, j'ai vengé mon honneur et mon père ;
Je le ferais encor, si j'avais à le faire.
Ce n'est pas qu'en effet[1] contre mon père et moi
880 Ma flamme assez longtemps n'ait combattu pour toi ;
Juge de son pouvoir : dans une telle offense,
J'ai pu délibérer[2] si j'en prendrais vengeance.
Réduit à te déplaire, ou souffrir un affront,
J'ai pensé qu'à son tour mon bras était trop prompt ;
885 Je me suis accusé de trop de violence ;
Et ta beauté sans doute emportait la balance[3],
À moins que d'opposer[4] à tes plus forts appas
Qu'un homme sans honneur ne te méritait pas ;
Que malgré cette part que j'avais en ton âme,
890 Qui m'aima généreux me haïrait infâme ;
Qu'écouter ton amour, obéir à sa voix,
C'était m'en rendre indigne et diffamer[5] ton choix.
Je te le dis encore ; et quoique j'en soupire,
Jusqu'au dernier soupir je veux bien le redire :
895 Je t'ai fait une offense, et j'ai dû m'y porter[6]
Pour effacer ma honte, et pour te mériter ;
Mais quitte envers l'honneur, et quitte envers mon père,
C'est maintenant à toi que je viens satisfaire[7].
C'est pour t'offrir mon sang qu'en ce lieu tu me vois.

passage analysé

notes

1. en effet : en réalité.
2. délibérer : me demander.
3. emportait la balance : l'aurait emporté.
4. à moins que d'opposer : si je n'avais pas opposé.

5. diffamer : déshonorer.
6. m'y porter : m'y résoudre.
7. satisfaire : offrir réparation.

| 900 | J'ai fait ce que j'ai dû, je fais ce que je dois. |

J'ai fait ce que j'ai dû, je fais ce que je dois.
Je sais qu'un père mort t'arme contre mon crime ;
Je ne t'ai pas voulu dérober ta victime :
Immole avec courage au sang qu'il[1] a perdu
Celui qui[2] met sa gloire à l'avoir répandu.

CHIMÈNE

Ah ! Rodrigue, il est vrai, quoique ton ennemie,
Je ne puis te blâmer d'avoir fui l'infamie ;
Et de quelque façon qu'éclatent mes douleurs,
Je ne t'accuse point, je pleure mes malheurs.
Je sais ce que l'honneur, après un tel outrage,
Demandait à l'ardeur d'un généreux courage :
Tu n'as fait le devoir que d'un homme de bien ;
Mais aussi, le faisant, tu m'as appris le mien.
Ta funeste valeur m'instruit par ta victoire ;
Elle a vengé ton père et soutenu ta gloire :
Même soin me regarde[3], et j'ai, pour m'affliger,
Ma gloire à soutenir et mon père à venger.
Hélas ! ton intérêt[4] ici me désespère :
Si quelque autre malheur m'avait ravi mon père,
Mon âme aurait trouvé dans le bien[5] de te voir
L'unique allégement qu'elle eût pu recevoir ;
Et contre ma douleur j'aurais senti des charmes,
Quand une main si chère eût essuyé mes larmes.
Mais il me faut te perdre après l'avoir perdu ;
Cet effort sur ma flamme à mon honneur est dû ;
Et cet affreux devoir, dont l'ordre m'assassine,
Me force à travailler moi-même à ta ruine.
Car enfin n'attends pas de mon affection

passage analysé

notes

1. **il** : le Comte.
2. **celui qui** : Rodrigue.
3. **même soin me regarde** : j'ai le même devoir à accomplir.

4. **ton intérêt** : l'intérêt, l'amour que j'ai pour toi.
5. **bien** : bonheur.

De lâches sentiments pour ta punition[1].
De quoi qu'en ta faveur notre amour m'entretienne[2],
Ma générosité doit répondre à la tienne :
Tu t'es, en m'offensant, montré digne de moi ;
Je me dois, par ta mort, montrer digne de toi.

DON RODRIGUE

Ne diffère donc plus ce que l'honneur t'ordonne :
Il demande ma tête, et je te l'abandonne ;
Fais-en un sacrifice à ce noble intérêt[3].
Le coup m'en sera doux, aussi bien que l'arrêt.
Attendre après mon crime une lente justice,
C'est reculer ta gloire autant que mon supplice.
Je mourrai trop heureux, mourant d'un coup si beau.

CHIMÈNE

Va, je suis ta partie[4], et non pas ton bourreau.
Si tu m'offres ta tête, est-ce à moi de la prendre ?
Je la dois attaquer, mais tu dois la défendre ;
C'est d'un autre que toi qu'il me faut l'obtenir,
Et je dois te poursuivre, et non pas te punir.

DON RODRIGUE

De quoi qu'en ma faveur notre amour t'entretienne,
Ta générosité doit répondre à la mienne ;
Et pour venger un père emprunter d'autres bras,
Ma Chimène, crois-moi, c'est n'y répondre pas.
Ma main seule du mien a su venger l'offense,
Ta main seule du tien doit prendre la vengeance.

otes

. **pour ta punition** : qui me feraient renoncer
ton châtiment.
. **De quoi [...] m'entretienne** : quelles que
oient les pensées que notre amour me dicte
n ta faveur.

3. ce noble intérêt : l'honneur.
4. partie : adversaire en justice.

CHIMÈNE

Cruel ! à quel propos[1] sur ce point t'obstiner ?
Tu t'es vengé sans aide, et tu m'en veux donner !
Je suivrai ton exemple, et j'ai trop de courage
Pour souffrir qu'avec toi ma gloire se partage.
955 Mon père et mon honneur ne veulent rien devoir
Aux traits de ton amour ni de ton désespoir.

DON RODRIGUE

Rigoureux point d'honneur ! hélas ! quoi que je fasse,
Ne pourrai-je à la fin obtenir cette grâce ?
Au nom d'un père mort, ou de notre amitié[2],
960 Punis-moi par vengeance, ou du moins par pitié.
Ton malheureux amant aura bien moins de peine
À mourir par ta main qu'à vivre avec ta haine.

CHIMÈNE

Va, je ne te hais point.

DON RODRIGUE

                                    Tu le dois.

CHIMÈNE

                                                Je ne puis.

DON RODRIGUE

Crains-tu si peu le blâme, et si peu les faux bruits[3] ?
965 Quand on saura mon crime, et que ta flamme dure,
Que ne publieront[4] point l'envie et l'imposture[5] !
Force-les au silence, et, sans plus discourir,
Sauve ta renommée en me faisant mourir.

passage analysé

notes

1. **à quel propos** : pour quelle raison.
2. **amitié** : amour.
3. **faux bruits** : calomnies.

4. **publieront** : déclareront.
5. **imposture** : mensonge.

Chimène (Vanessa Grégory), face à Rodrigue (Gilles Nicoleau) dans la mise en scène de Thomas Le Douarec (Théâtre de la Madeleine, Paris, 1998).

CHIMÈNE

970 Elle éclate bien mieux en te laissant la vie ;
Et je veux que la voix de la plus noire envie
Élève au ciel ma gloire et plaigne mes ennuis,
Sachant que je t'adore et que je te poursuis.
Va-t'en, ne montre plus à ma douleur extrême
975 Ce qu'il faut que je perde, encore que je l'aime.
Dans l'ombre de la nuit cache bien ton départ :
Si l'on te voit sortir, mon honneur court hasard[1].
La seule occasion qu'aura la médisance,
C'est de savoir qu'ici j'ai souffert ta présence :
Ne lui donne point lieu[2] d'attaquer ma vertu.

DON RODRIGUE

980 Que je meure !

CHIMÈNE

       Va-t'en.

DON RODRIGUE

            À quoi te résous-tu ?

CHIMÈNE

Malgré des feux si beaux, qui troublent ma colère,
Je ferai mon possible à bien venger mon père ;
Mais malgré la rigueur d'un si cruel devoir,
Mon unique souhait est de ne rien pouvoir.

DON RODRIGUE

985 Ô miracle d'amour !

CHIMÈNE

       Ô comble de misères !

DON RODRIGUE

Que de maux et de pleurs nous coûteront nos pères !

passage analysé

notes

| 1. **court hasard** : court un danger.　　　| 2. **lieu** : l'occasion.

CHIMÈNE
Rodrigue, qui l'eût cru ?

DON RODRIGUE

Chimène, qui l'eût dit ?

CHIMÈNE
Que notre heur[1] fût si proche et sitôt se perdît ?

DON RODRIGUE
Et que si près du port, contre toute apparence[2],
990 Un orage si prompt brisât notre espérance ?

CHIMÈNE
Ah ! mortelles douleurs !

DON RODRIGUE

Ah ! regrets superflus !

CHIMÈNE
Va-t'en, encore un coup[3] je ne t'écoute plus.

DON RODRIGUE
Adieu : je vais traîner une mourante vie,
Tant que[4] par ta poursuite elle me soit ravie.

CHIMÈNE
995 Si j'en obtiens l'effet, je t'engage ma foi
De ne respirer pas un moment après toi.
Adieu : sors, et surtout garde bien qu'on te voie.

ELVIRE
Madame, quelques maux que le ciel nous envoie...

CHIMÈNE
Ne m'importune plus, laisse-moi soupirer,
1000 Je cherche le silence et la nuit pour pleurer.

suite, p. 116

notes

1. **heur** : bonheur.
2. **apparence** : prévision.

3. **encore un coup** : encore une fois.
4. **tant que** : jusqu'à ce que.

101

Un duel verbal et un duo d'amour

Lecture analytique de la scène 4 de l'acte III, pp. 93 à 101.

Après avoir tué le Comte en duel, Rodrigue s'est présenté chez Chimène au début de l'acte III et Elvire l'a obligé à se cacher. Chimène, revenue de chez le roi et se croyant seule avec Elvire, lui avoue avec désespoir qu'elle aime toujours Rodrigue tout en devant le poursuivre. La première rencontre sur scène entre les deux amants commence par l'irruption inattendue devant Chimène du meurtrier de son père. Cette scène centrale de la pièce fut bien reçue des spectateurs mais provoqua des réactions scandalisées de l'Académie française par ses atteintes aux règles* de bienséance et de vraisemblance.

Nous assistons à un duel verbal argumentatif où Rodrigue, tout en se justifiant du meurtre du Comte, veut convaincre Chimène de le tuer avec son épée pour se venger. Mais celle-ci, tout en manifestant son héroïsme* par son souci de restaurer son honneur, refuse de le tuer elle-même en défendant une autre logique : celle du recours à la justice royale, prévalant à ses yeux sur la justice privée incarnée par le duel. Cette scène est aussi celle du triple aveu de Chimène, contrainte de redire son amour à celui dont elle veut pourtant la condamnation. L'harmonie retrouvée s'exprime en un duo d'amour où les deux amants chantent leur passion et leur douleur avec des échos qui soulignent la similitude et l'intensité de leurs sentiments. Leur amour ne semble alors pouvoir s'accomplir que dans la mort.

La première rencontre sur scène : un scandale

❶ Dans quel lieu et à quel moment de la journée l'action se déroule-t-elle ? Le public a-t-il déjà vu Rodrigue et Chimène en scène ? Dans quel état d'esprit sont-ils l'un et l'autre ?

* Cf. Lexique.

❷ Par quels procédés les premières répliques* traduisent-elles la surprise de Chimène ? Comment expliquez-vous cette réaction ?

❸ En quoi cette rencontre nocturne peut-elle choquer la bienséance ?

❹ Quelles conceptions différentes de la renommée de Chimène opposent les amants aux vers 964-979 ?

Le duel verbal : une scène d'argumentation

❺ Repérez les différentes formes du dialogue théâtral : stichomythies*, tirades*, échanges plus équilibrés. Qu'exprime chacune de ces formes et quelles étapes de la scène marquent-elles ?

❻ Que veut obtenir Rodrigue de Chimène ? Par quels arguments tente-t-il de la convaincre dans sa tirade et dans l'ensemble de la scène ? Quel est le rôle de l'épée dans l'échange des vers 857-867 ?

❼ Par quels arguments Rodrigue justifie-t-il la mort du Comte dans sa tirade (v. 869-904) ? À quelle scène renvoient les vers 879-890 ?

❽ Quelle symétrie de point de vue observez-vous dans les tirades de Chimène et Rodrigue ? Relevez, pour le montrer, les parallélismes et les oppositions. En quoi les amants font-ils tous deux preuve d'héroïsme* ?

❾ Quelles distinctions Chimène opère-t-elle entre justice et vengeance, entre justice privée et justice d'État (v. 940-956) ? Quelle nouvelle conception morale apparaît ici ?

Une scène d'aveux et un duo d'amour

❿ Quel conflit intérieur de Chimène manifeste le vers 855 ?

⓫ Quelle est la valeur du déterminant possessif aux vers 859 et 948 ? Quel sentiment traduit-il ?

⓬ Quels aveux successifs Rodrigue obtient-il de Chimène dans cette scène et par quelles demandes ? Identifiez les procédés qui caractérisent chacun d'eux, notamment la figure* du vers 963.

* *Cf.* Lexique.

⓭ Quels sentiments s'expriment dans les vers 985-992 ? Montrez comment les types de phrases*, les parallélismes, les rythmes* et les sonorités contribuent à les traduire. En quoi est-ce un duo d'amour ?

⓮ Comment s'associent l'amour et la mort dans les propos des deux personnages ? Quel engagement est pris par Chimène dans les vers 995-996 ?

⓯ Cette scène fait-elle avancer l'action ? Quelles sont sa place et sa fonction dans l'acte et dans la pièce ? Quels registres* y dominent ?

Gravure de Moreau Le Jeune.

* *Cf.* Lexique.

Scènes d'aveu au théâtre
Lectures croisées et travaux d'écriture

La scène d'aveu constitue un type de scène classique au théâtre, où la parole est action. Un personnage avoue soit une faute, soit des sentiments amoureux interdits ou irréalisables qui se heurtent à l'obstacle* d'une loi morale ou sociale ou à l'obstacle intérieur de l'amour-propre ou de la honte. L'aveu informe un destinataire qui peut être un confident ou l'intéressé, mais aussi le public, s'il n'en sait pas plus que lui (double énonciation*). Sa mise en scène est liée au statut des protagonistes*, au lieu et à la présence cachée ou non d'un témoin. Il constitue un ressort dramatique* essentiel, différent selon qu'il fait partie de l'exposition*, des péripéties* ou du dénouement*. L'aveu peut se faire en un ou plusieurs temps, ou s'adresser à plusieurs personnes avec des effets d'écho. Il peut être « arraché » ou échapper malgré lui à celui qui avoue, être provoqué par un départ ou l'approche de la mort. Les stratégies d'aveu sont explicites ou non, directes ou indirectes. Diverses stratégies argumentatives* peuvent être utilisées pour influer sur le destinataire. Le registre* enfin est lyrique*, pathétique*, tragique ou comique, selon qu'il s'agit d'une tragédie, d'une comédie ou d'un genre mêlé.

Texte A : Scène 4 de l'acte III du *Cid* de Corneille (pp. 93 à 101)

Texte B : Jean Racine, *Phèdre*
Dans sa célèbre tragédie à sujet inspiré de la tragédie antique, Racine met en scène l'amour interdit et maudit de l'épouse de Thésée, Phèdre, pour son beau-fils Hippolyte, qui aime secrètement la jeune princesse Aricie. Pendant l'absence de Thésée dont on a par erreur annoncé la mort, Phèdre va déclarer sa flamme à Hippolyte. Elle lui fait un premier aveu déguisé. Puis, devant la réaction indignée d'Hippolyte, elle se dévoile.

* Cf. Lexique.

HIPPOLYTE

Madame, pardonnez. J'avoue, en rougissant,
Que j'accusais à tort un discours innocent.
Ma honte ne peut plus soutenir votre vue ;
Et je vais...

PHÈDRE

       Ah ! cruel, tu m'as trop entendue[1].
Je t'en ai dit assez pour te tirer d'erreur.
Hé bien ! connais donc Phèdre et toute sa fureur[2].
J'aime. Ne pense pas qu'au moment que je t'aime,
Innocente à mes yeux, je m'approuve moi-même ;
Ni que du fol amour qui trouble ma raison
Ma lâche complaisance ait nourrit le poison.
Objet infortuné des vengeances célestes,
Je m'abhorre[3] encor plus que tu ne me détestes.
Les dieux m'en sont témoins, ces dieux qui dans mon flanc
Ont allumé le feu fatal à tout mon sang,
Ces dieux qui se sont fait une gloire cruelle
De séduire[4] le cœur d'une faible mortelle.
Toi-même en ton esprit rappelle le passé.
C'est peu de t'avoir fui, cruel, je t'ai chassé.
J'ai voulu te paraître odieuse, inhumaine ;
Pour mieux te résister, j'ai recherché ta haine.
De quoi m'ont profité mes inutiles soins ?
Tu me haïssais plus, je ne t'aimais pas moins.
Tes malheurs te prêtaient encor de nouveaux charmes[5].
J'ai langui, j'ai séché, dans les feux, dans les larmes.
Il suffit de tes yeux pour t'en persuader,
Si tes yeux un moment pouvaient me regarder.
Que dis-je ? Cet aveu que je viens de faire,
Cet aveu si honteux, le crois-tu volontaire ?
Tremblante pour un fils que je n'osais trahir,
Je te venais prier de ne le point haïr.
Faibles projets d'un cœur trop plein de ce qu'il aime !
Hélas ! je ne t'ai pu parler que de toi-même.
Venge-toi, punis-moi d'un odieux amour.
Digne fils d'un héros qui t'a donné le jour,
Délivre l'univers d'un monstre qui t'irrite.

La veuve de Thésée ose aimer Hippolyte !
Crois-moi, ce monstre affreux ne doit point t'échapper.
Voilà mon cœur. C'est là que ta main doit frapper.
Impatient déjà d'expirer son offense,
Au devant de ton bras je le[6] sens qui s'avance.
Frappe. Ou si tu le crois indigne de tes coups,
Si ta haine m'envie[7] un supplice si doux,
Ou si d'un sang trop vile ta main serait trempée,
Au défaut de ton bras prête-moi ton épée.
Donne[8].

ŒNONE

        Que faites-vous, Madame ? Justes dieux !
Mais on vient. Évitez des témoins odieux ;
Venez, rentrez, fuyez une honte certaine.

Jean Racine, *Phèdre*, extrait de la scène 5 de l'acte II, 1677.

1. trop entendue : trop bien comprise. **2. toute sa fureur :** sa folie amoureuse.
3. je m'abhorre : je me hais. **4. séduire :** perdre, détourner du droit chemin.
5. charmes : pouvoirs de séduction. **6. le :** représente « *mon cœur* ».
7. m'envie : me refuse. **8.** Phèdre arrache son épée à Hippolyte.

Texte C : Molière, *Le Tartuffe*

Molière, dans sa comédie intitulée Le Tartuffe ou l'Imposteur, *qui souleva la cabale des dévots et fut d'abord interdite en 1664, se livre à une critique sévère de l'hypocrisie religieuse à travers le personnage de Tartuffe. Ce faux dévot s'immisce dans les faveurs du riche et trop crédule Orgon qui veut lui céder sa fortune et sa fille. Face à l'hostilité de la famille d'Orgon, Tartuffe affiche une vertu austère. Mais, dans cette scène, il se dévoile et se comporte vis-à-vis de la femme d'Orgon d'une bien étrange manière...*

ELMIRE

Pour moi, je crois qu'au Ciel tendent tous vos soupirs,
Et que rien ici-bas n'arrête vos désirs.

TARTUFFE

L'amour qui nous attache aux beautés éternelles
N'étouffe pas en nous l'amour des temporelles ;
Nos sens facilement peuvent être charmés
Des ouvrages parfaits que le Ciel a formés.
Ses attraits réfléchis brillent dans vos pareilles ;
Mais il étale en vous ses plus rares merveilles :
Il a sur votre face épanché des beautés

Dont les yeux sont surpris, et les cœurs transportés,
Et je n'ai pu vous voir, parfaite créature,
Sans admirer en vous l'auteur de la nature,
Et d'une ardente amour sentir mon cœur atteint,
Au plus beau des portraits où lui-même il s'est peint.
D'abord, j'appréhendai que cette ardeur secrète
Ne fût du noir esprit une surprise adroite ;
Et même à fuir vos yeux mon cœur se résolut,
Vous croyant un obstacle à faire mon salut.
Mais enfin je connus, ô beauté toute aimable,
Que cette passion peut n'être point coupable,
Que je puis l'ajuster avecque la pudeur,
Et c'est ce qui m'y fait abandonner mon cœur.
Ce m'est, je le confesse, une audace bien grande
Que d'oser de ce cœur vous adresser l'offrande ;
Mais j'attends en mes vœux tout de votre bonté,
Et rien des vains efforts de mon infirmité ;
En vous est mon espoir, mon bien, ma quiétude,
De vous dépend ma peine ou ma béatitude,
Et je vais être enfin, par votre seul arrêt[1],
Heureux, si vous voulez, malheureux, s'il vous plaît.

ELMIRE

La déclaration est tout à fait galante,
Mais elle est, à vrai dire, un peu bien surprenante.
Vous deviez, ce me semble, armer mieux votre sein[2],
Et raisonner un peu sur un pareil dessein.
Un dévot comme vous, et que partout on nomme...

TARTUFFE

Ah ! pour être dévot, je n'en suis pas moins homme ;
Et lorsqu'on vient à voir vos célestes appas,
Un cœur se laisse prendre, et ne raisonne pas.
Je sais qu'un tel discours de moi paraît étrange ;
Mais, madame, après tout, je ne suis pas un ange ;
Et si vous condamnez l'aveu que je vous fais,
Vous devez vous en prendre à vos charmants attraits.

Molière, *Le Tartuffe*, extrait de la scène 3 de l'acte III, 1669.

1. **arrêt :** décision.
2. **sein :** cœur.

Lectures croisées

Texte D : Alfred de Musset, _On ne badine pas avec l'amour_

_Cette comédie romantique à sujet proverbial montre un renouvellement de la comédie qui interroge les rapports sociaux et la morgue des aristocrates envers leurs « vassaux ». La pièce commence comme une comédie et finit en drame. Deux jeunes gens, Camille et Perdican, se retrouvent, après dix années d'études, dans leur famille désireuse de les marier. Mais les jeunes héros s'affrontent en quête de leur vérité au lieu de se laisser porter par leurs sentiments. Perdican pousse le badinage jusqu'à promettre le mariage à la sœur de lait de Camille, Rosette. Nous assistons dans cette scène à l'ultime aveu du dénouement_*.

Un oratoire[1]

Entre CAMILLE _; elle se jette au pied de l'autel._ M'avez-vous abandonnée, ô mon Dieu ? Vous le savez, lorsque je suis venue, j'avais juré de vous être fidèle ; quand j'ai refusé de devenir l'épouse d'un autre que vous, j'ai cru parler sincèrement devant vous et ma conscience ; vous le savez, mon Père ; ne voulez-vous donc plus de moi ? Oh ! pourquoi faites-vous mentir la vérité elle-même ? Pourquoi suis-je si faible ? Ah ! malheureuse, je ne puis plus prier. _(Entre Perdican.)_

PERDICAN. Orgueil, le plus fatal des conseillers humains, qu'es-tu venu faire entre cette fille et moi ? La voilà pâle et effrayée, qui presse sur les dalles insensibles son cœur et son visage. Elle aurait pu m'aimer, et nous étions nés l'un pour l'autre ; qu'es-tu venu faire sur nos lèvres, orgueil, lorsque nos mains allaient se joindre ?

CAMILLE. Qui m'a suivie ? Qui parle sous cette voûte ? Est-ce toi, Perdican ?

PERDICAN. Insensés que nous sommes ! nous nous aimons. Quel songe avons-nous fait, Camille ? Quelles vaines paroles, quelles misérables folies ont passé comme un vent funeste[2] entre nous deux ? Lequel de nous a voulu tromper l'autre ? Hélas ! cette vie est elle-même un si pénible rêve : pourquoi encore y mêler les nôtres ? Ô mon Dieu ! le bonheur est une perle si rare dans cet océan d'ici-bas ! Tu nous l'avais donné, pêcheur céleste, tu l'avais tiré pour nous des profondeurs de l'abîme, cet inestimable joyau ; et nous, comme des enfants gâtés que nous sommes, nous en avons fait un jouet. Le vert sentier qui nous amenait l'un vers l'autre avait une pente si douce, il était entouré de buissons si fleuris, il se perdait dans un si tranquille horizon ! Il a bien fallu que la vanité, le bavardage et la colère vinssent jeter leurs rochers informes sur cette route céleste, qui nous aurait conduits à toi dans un

* Cf. Lexique

baiser ! Il a bien fallu que nous nous fissions du mal, car nous sommes des hommes ! Ô insensés ! nous nous aimons. *(Il la prend dans ses bras.)*

CAMILLE. Oui, nous nous aimons, Perdican ; laisse-moi le sentir sur ton cœur. Ce Dieu qui nous regarde ne s'en offensera pas ; il veut bien que je t'aime ; il y a quinze ans qu'il le sait.

PERDICAN. Chère créature, tu es à moi ! *(Il l'embrasse ; on entend un grand cri derrière l'autel.)*

CAMILLE. C'est la voix de ma sœur de lait.

PERDICAN. Comment est-elle ici ? Je l'avais laissée dans l'escalier, lorsque tu m'as fait rappeler. Il faut donc qu'elle m'ait suivi sans que je m'en sois aperçu.

CAMILLE. Entrons dans cette galerie, c'est là qu'on a crié.

PERDICAN. Je ne sais ce que j'éprouve ; il me semble que mes mains sont couvertes de sang.

CAMILLE. La pauvre enfant nous a sans doute épiés ; elle s'est encore évanouie ; viens, portons-lui secours ; hélas ! tout cela est cruel.

PERDICAN. Non, en vérité, je n'entrerai pas ; je sens un froid mortel, qui me paralyse. Vas-y, Camille, et tâche de la ramener. *(Camille sort.)* Je vous en supplie, mon Dieu ! ne faites pas de moi un meurtrier ! Vous voyez ce qui se passe ; nous sommes deux enfants insensés, et nous avons joué avec la vie et la mort ; mais notre cœur est pur ; ne tuez pas Rosette, Dieu juste ! Je lui trouverai un mari, je réparerai ma faute ; elle est jeune, elle sera riche, elle sera heureuse ; ne faites pas cela, ô Dieu ! vous pouvez bénir encore quatre de vos enfants. Eh bien ! Camille, qu'y a-t-il ? *(Camille rentre.)*

CAMILLE. Elle est morte. Adieu, Perdican.

Alfred de Musset, *On ne badine pas avec l'amour*, scène 8 de l'acte III, 1834.

1. *oratoire* : lieu de prières, petite chapelle.
2. *funeste* : fatal.

Texte E : Edmond Rostand, *Cyrano de Bergerac*

Cyrano de Bergerac, comédie héroïque en vers d'Edmond Rostand, met en scène le personnage de Cyrano, cadet de Gascogne brillant, généreux et poète, mais disgracié par sa laideur. Secrètement amoureux de la belle Roxane, il sacrifie son amour en prêtant sa plume pour séduire Roxane à Christian qui est aimé d'elle et qui l'épouse. Du siège d'Arras où ils sont envoyés, Cyrano continue d'écrire pour Christian des lettres à Roxane, mais Christian est tué. Quinze ans plus tard, Cyrano vient toujours visiter Roxane

retirée dans un couvent. Dans cet extrait de scène du dénouement*, il vient d'être blessé à mort et lui rend une ultime visite en lui cachant son état : il lui demande la dernière lettre de Christian qu'il se met à lire.

ROXANE

Ouvrez... lisez !...

Elle revient à son métier, le plie, range ses laines.

CYRANO, *lisant.*

« Roxane, adieu, je vais mourir !... »

ROXANE, *s'arrêtant, étonnée.*

Tout haut ?

CYRANO, *lisant.*

« C'est pour ce soir, je crois, ma bien-aimée !

« J'ai l'âme lourde encor d'amour inexprimée,

« Et je meurs ! Jamais plus, jamais mes yeux grisés,

« Mes regards dont c'était... »

ROXANE

Comme vous la lisez,

Sa lettre !

CYRANO, *continuant.*

« ... dont c'était les frémissantes fêtes

« Ne baiseront au vol les gestes que vous faites :

« J'en revois un petit qui vous est familier

« Pour toucher votre front, et je voudrais crier... »

ROXANE, *troublée.*

Comme vous la lisez, – cette lettre !

La nuit vient insensiblement.

CYRANO

« Et je crie :

« Adieu !... »

ROXANE

Vous la lisez...

CYRANO

« Ma chère, ma chérie,

« Mon trésor... »

ROXANE, *rêveuse.*

D'une voix...

CYRANO

« Mon amour !... »

* Cf. **Lexique**

ROXANE

D'une voix...

Elle tressaille.

Mais... que je n'entends pas pour la première fois !

Elle s'approche tout doucement, sans qu'il s'en aperçoive, passe derrière le fauteuil, se penche sans bruit, regarde la lettre. – L'ombre augmente.

CYRANO

« Mon cœur ne vous quitta jamais une seconde,

« Et je suis et serai jusque dans l'autre monde

« Celui qui vous aima sans mesure, celui... »

ROXANE, *lui posant la main sur l'épaule.*

Comment pouvez-vous lire à présent ? Il fait nuit.

Il tressaille, se retourne, la voit là tout près, fait un geste d'effroi, baisse la tête. Un long silence. Puis, dans l'ombre complètement venue, elle dit avec lenteur, joignant les mains :

Et pendant quatorze ans, il a joué ce rôle

D'être le vieil ami qui vient pour être drôle !

CYRANO

Roxane !

ROXANE

C'était vous.

CYRANO

Non, non, Roxane, non !

ROXANE

J'aurais dû deviner quand il disait mon nom !

CYRANO

Non ! ce n'était pas moi !

ROXANE

C'était vous !

CYRANO

Je vous jure...

ROXANE

J'aperçois toute la généreuse imposture :

Les lettres, c'était vous...

CYRANO

Non !

112

ROXANE

Les mots chers et fous,

C'était vous...

CYRANO

Non !

ROXANE

La voix dans la nuit, c'était vous.

CYRANO

Je vous jure que non !

ROXANE

L'âme, c'était la vôtre !

CYRANO

Je ne vous aimais pas.

ROXANE

Vous m'aimiez !

CYRANO, *se débattant.*

C'était l'autre !

ROXANE

Vous m'aimiez !

CYRANO, *d'une voix qui faiblit.*

Non !

ROXANE

Déjà vous le dites plus bas !

CYRANO

Non, non, mon cher amour, je ne vous aimais pas !

Edmond Rostand, *Cyrano de Bergerac*, extrait de la scène 5 de l'acte V, 1897.

Corpus

Texte A : Scène 4 de l'acte III du *Cid* de Pierre Corneille (pp. 93-101).

Texte B : Extrait de la scène 5 de l'acte II de *Phèdre* de Jean Racine (pp. 105-107).

Texte C : Extrait de la scène 3 de l'acte III du *Tartuffe* de Molière (pp. 107-108).

Texte D : Scène 8 de l'acte III d'*On ne badine pas avec l'amour* d'Alfred de Musset (pp. 109-110).

Texte E : Extrait de la scène 5 de l'acte V de *Cyrano de Bergerac* d'Edmond Rostand (pp. 110-113).

Examen des textes

❶ Précisez qui avoue à qui dans chacun des textes du corpus et quel lien social unit les protagonistes* de chacune des scènes.

❷ Quel est le sentiment avoué dans chaque texte ? Vous relèverez, pour chacun, les termes qui expriment un aveu.

❸ Le sentiment avoué est-il partagé dans ces textes ? Vous analyserez, pour chacun, la nature des obstacles* à sa réalisation.

❹ Qu'est-ce qui provoque l'aveu dans chacun des textes ? Est-il sollicité par l'autre ou spontané, ou échappe-t-il malgré lui à celui qui le fait ?

❺ Analysez les étapes et la progression de l'aveu dans les textes A, B, C et E, ainsi que les stratégies d'évitement de l'aveu utilisées.

❻ Comparez les arguments avancés par les personnages dans les textes B et C pour justifier leur passion coupable. Étudiez les effets sur les destinataires dans les deux textes. Que peut-on en conclure sur la différence des registres* ?

❼ Analysez les registres dans les textes D et E. Quel changement de registre la présence d'un témoin caché introduit-elle dans le texte D ? Quelle est la portée dramatique* de la place des aveux dans un dénouement* ?

Travaux d'écriture

Question préliminaire
Quelles fonctions essentielles des scènes d'aveu peut-on dégager de l'ensemble des extraits du corpus ?

Commentaire
Vous ferez le commentaire de la tirade* de *Phèdre* de Jean Racine (texte B).

* *Cf.* Lexique.

Dissertation

En quoi peut-on dire que la parole est action dans les scènes d'aveu ? Vous vous appuierez pour répondre sur les textes du corpus, ainsi que sur les pièces de théâtre que vous avez lues ou vues.

Écriture d'invention

Imaginez un dialogue entre deux spectateurs du XVIIᵉ siècle sortant d'une représentation du *Cid*. L'un a trouvé scandaleuse la scène 4 de l'acte III, l'autre l'a trouvée bouleversante. Chacun défend son point de vue.

Scène 5   DON DIÈGUE

Jamais nous ne goûtons de parfaite allégresse :
Nos plus heureux succès sont mêlés de tristesse ;
Toujours quelques soucis en ces événements
Troublent la pureté de nos contentements.
1005   Au milieu du bonheur mon âme en sent l'atteinte :
Je nage dans la joie, et je tremble de crainte.
J'ai vu mort l'ennemi qui m'avait outragé,
Et je ne saurais voir[1] la main qui m'a vengé.
En vain je m'y travaille[2], et d'un soin inutile,
1010   Tout cassé que je suis, je cours toute la ville :
Ce peu que mes vieux ans m'ont laissé de vigueur
Se consume sans fruit[3] à chercher ce vainqueur.
À toute heure, en tous lieux, dans une nuit si sombre,
Je pense l'embrasser, et n'embrasse qu'une ombre ;
1015   Et mon amour, déçu[4] par cet objet trompeur,
Se forme des soupçons qui redoublent ma peur.
Je ne découvre point de marques de sa fuite ;
Je crains du Comte mort les amis et la suite ;
Leur nombre m'épouvante, et confond[5] ma raison.
1020   Rodrigue ne vit plus, ou respire en prison.
Justes cieux ! me trompé-je encore à l'apparence,
Ou si[6] je vois enfin mon unique espérance ?
C'est lui, n'en doutons plus ; mes vœux sont exaucés,
Ma crainte est dissipée et mes ennuis cessés.

notes

1. **je ne saurais voir** : je n'arrive pas à voir.
2. **travaille** : efforce.
3. **sans fruit** : vainement.
4. **déçu** : trompé.
5. **confond** : trouble.
6. **si** : est-ce que.

Scène 6 DON DIÈGUE, DON RODRIGUE

DON DIÈGUE

25 Rodrigue, enfin le Ciel permet que je te voie !

DON RODRIGUE

Hélas !

DON DIÈGUE

Ne mêle point de soupirs à ma joie ;
Laisse-moi prendre haleine afin de te louer.
Ma valeur n'a point lieu de te désavouer :
Tu l'as bien imitée, et ton illustre audace
30 Fait bien revivre en toi les héros de ma race :
C'est d'eux que tu descends, c'est de moi que tu viens :
Ton premier coup d'épée égale tous les miens ;
Et d'une belle ardeur ta jeunesse animée
Par cette grande épreuve atteint[1] ma renommée.
35 Appui de ma vieillesse, et comble de mon heur,
Touche ces cheveux blancs à qui tu rends l'honneur,
Viens baiser cette joue, et reconnais la place
Où fut empreint l'affront que ton courage efface.

DON RODRIGUE

L'honneur vous en[2] est dû : je ne pouvais pas moins,
40 Étant sorti[3] de vous et nourri[4] par vos soins.
Je m'en tiens trop heureux, et mon âme est ravie
Que mon coup d'essai plaise à qui je dois la vie ;
Mais parmi vos plaisirs ne soyez point jaloux
Si je m'ose à mon tour satisfaire après vous[5].
45 Souffrez qu'en liberté mon désespoir éclate ;

---

otes

1. atteint : égale.
2. en : de cette victoire.
3. sorti : issu, né de.

4. nourri : élevé.
5. si [...] après vous : si j'ose me donner satisfaction après l'avoir fait pour vous.

Assez et trop longtemps votre discours le flatte[1].
Je ne me repens point de vous avoir servi ;
Mais rendez-moi le bien[2] que ce coup m'a ravi.
Mon bras, pour vous venger, armé contre ma flamme,
1050 Par ce coup glorieux m'a privé de mon âme[3] ;
Ne me dites plus rien ; pour vous j'ai tout perdu :
Ce que je vous devais, je vous l'ai bien rendu.

DON DIÈGUE
Porte, porte plus haut[4] le fruit de ta victoire :
Je t'ai donné la vie, et tu me rends ma gloire ;
1055 Et d'autant que l'honneur m'est plus cher que le jour,
D'autant plus maintenant je te dois de[5] retour.
Mais d'un cœur magnanime éloigne ces faiblesses ;
Nous n'avons qu'un honneur, il est tant de maîtresses !
L'amour n'est qu'un plaisir, l'honneur est un devoir.

DON RODRIGUE
1060 Ah ! que me dites-vous ?

DON DIÈGUE
                                    Ce que tu dois savoir.

DON RODRIGUE
Mon honneur offensé sur moi-même se venge,
Et vous m'osez pousser à la honte du change[6] !
L'infamie est pareille, et suit[7] également
Le guerrier sans courage et le perfide amant.
1065 À ma fidélité ne faites point d'injure ;
Souffrez-moi généreux sans me rendre parjure[8] :
Mes liens sont trop forts pour être ainsi rompus ;
Ma foi m'engage encor si je n'espère plus ;

notes
1. flatte : trompe.
2. le bien : mon amour.
3. mon âme : la femme que j'aime.
4. porte plus haut : montre-toi plus fier.
5. de : en.
6. change : infidélité, inconstance.
7. suit : poursuit.
8. parjure : traître à ma parole.

Et ne pouvant quitter ni posséder Chimène,
Le trépas que je cherche est ma plus douce peine.

DON DIÈGUE

Il n'est pas temps encor de chercher le trépas ;
Ton prince et ton pays ont besoin de ton bras.
La flotte qu'on craignait, dans ce grand fleuve[1] entrée,
Croit surprendre la ville et piller la contrée.
Les Mores vont descendre, et le flux[2] et la nuit
Dans une heure à nos murs les amène[3] sans bruit.
La Cour est en désordre, et le peuple en alarmes :
On n'entend que des cris, on ne voit que des larmes.
Dans ce malheur public mon bonheur a permis
Que j'aie trouvé chez moi cinq cents de mes amis,
Qui sachant mon affront, poussés d'un même zèle,
Se venaient tous offrir à venger ma querelle.
Tu les a prévenus[4], mais leurs vaillantes mains
Se tremperont bien mieux au sang des Africains[5].
Va marcher à leur tête où l'honneur te demande :
C'est toi que veut pour chef leur généreuse bande[6].
De ces vieux ennemis va soutenir l'abord[7] :
Là, si tu veux mourir, trouve une belle mort ;
Prends-en l'occasion, puisqu'elle t'est offerte ;
Fais devoir à ton roi[8] son salut à ta perte ;
Mais reviens-en plutôt les palmes sur le front.
Ne borne pas ta gloire à venger un affront ;
Porte-la plus avant : force par ta vaillance
Ce monarque au pardon, et Chimène au silence ;
Si tu l'aimes, apprends que revenir vainqueur,
C'est l'unique moyen de regagner son cœur.

otes

, ce grand fleuve : le Guadalquivir.
, flux : marée.
, amène : accord au singulier avec le second sujet « la nuit ».
, prévenus : devancés.

5. Africains : il s'agit des Maures.
6. bande : troupe.
7. abord : attaque.
8. fais devoir à ton roi : fais que ton roi doive.

Mais le temps est trop cher pour le perdre en paroles :
Je t'arrête en discours et[1] je veux que tu voles.
Viens, suis-moi, va combattre, et montrer à ton roi
1100   Que ce qu'il perd au Comte[2] il le recouvre en toi.

1. Je t'arrête en discours et : je te retarde par mes discours alors que.

2. au Comte : en la personne du Comte.

Scène première CHIMÈNE, ELVIRE

CHIMÈNE
N'est-ce point un faux bruit ? le sais-tu bien, Elvire ?

ELVIRE
Vous ne croiriez jamais comme chacun l'admire,
Et porte jusqu'au ciel, d'une commune voix,
De ce jeune héros les glorieux exploits.
Les Mores devant lui n'ont paru qu'à leur honte ;
Leur abord fut bien prompt, leur fuite encor plus prompte.
Trois heures de combat laissent à nos guerriers
Une victoire entière et deux rois prisonniers.
La valeur de leur chef¹ ne trouvait point d'obstacles.

CHIMÈNE
Et la main de Rodrigue a fait tous ces miracles ?

Note

1. leur chef : Rodrigue.

ELVIRE
De ses nobles efforts ces deux rois sont le prix :
Sa main les a vaincus, et sa main les a pris.

CHIMÈNE
De qui peux-tu savoir ces nouvelles étranges ?

ELVIRE
Du peuple, qui partout fait sonner ses louanges,
1115 Le nomme de sa joie et l'objet et l'auteur,
Son ange tutélaire¹, et son libérateur.

CHIMÈNE
Et le Roi, de quel œil voit-il tant de vaillance ?

ELVIRE
Rodrigue n'ose encor paraître en sa présence ;
Mais don Diègue ravi lui présente enchaînés,
1120 Au nom de ce vainqueur, ces captifs couronnés,
Et demande pour grâce à ce généreux prince
Qu'il daigne voir la main qui sauve la province².

CHIMÈNE
Mais n'est-il point blessé ?

ELVIRE
                              Je n'en ai rien appris.
Vous changez de couleur ! reprenez vos esprits.

CHIMÈNE
1125 Reprenons donc aussi ma colère affaiblie :
Pour avoir soin de³ lui faut-il que je m'oublie ?
On le vante, on le loue, et mon cœur y consent !
Mon honneur est muet, mon devoir impuissant !
Silence, mon amour, laisse agir ma colère :

notes
_____

| 1. tutélaire : protecteur. | 3. pour avoir soin de : parce que je me
| 2. province : royaume. | préoccupe de.

122

30 S'il a vaincu deux rois, il a tué mon père ;
Ces tristes[1] vêtements où je lis mon malheur
Sont les premiers effets qu'ait produits sa valeur,
Et quoi qu'on die[2] ailleurs d'un cœur si magnanime,
Ici tous les objets me parlent de son crime.
35 Vous qui rendez la force à mes ressentiments,
Voiles, crêpes, habits, lugubres ornements,
Pompe[3] que me prescrit sa première victoire,
Contre ma passion soutenez bien ma gloire ;
Et lorsque mon amour prendra trop de pouvoir,
40 Parlez à mon esprit de mon triste devoir,
Attaquez sans rien craindre une main triomphante.

ELVIRE
Modérez ces transports, voici venir l'Infante.

Scène 2   L'INFANTE, CHIMÈNE, LÉONOR, ELVIRE

L'INFANTE
Je ne viens pas ici consoler tes douleurs ;
Je viens plutôt mêler mes soupirs à tes pleurs.

CHIMÈNE
45 Prenez bien plutôt part à la commune joie,
Et goûtez le bonheur que le ciel vous envoie,
Madame : autre[4] que moi n'a droit de soupirer.
Le péril dont Rodrigue a su nous retirer
Et le salut public que vous rendent ses armes
50 À moi seule aujourd'hui souffrent[5] encor les larmes :

otes

1. tristes : de deuil.
2. die : dise.
3. Pompe : décor funèbre de la maison.

4. autre : aucune autre.
5. souffrent : autorisent.

Il a sauvé la ville, il a servi son roi ;
Et son bras valeureux n'est funeste qu'à moi.

L'INFANTE
Ma Chimène, il est vrai qu'il a fait des merveilles[1].

CHIMÈNE
Déjà ce bruit fâcheux a frappé mes oreilles ;
1155 Et je l'entends partout publier hautement[2]
Aussi brave guerrier que malheureux amant.

L'INFANTE
Qu'a de fâcheux pour toi ce discours populaire[3] ?
Ce jeune Mars[4] qu'il loue a su jadis te plaire :
Il possédait ton âme, il vivait sous tes lois ;
1160 Et vanter sa valeur, c'est honorer ton choix.

CHIMÈNE
Chacun peut la vanter avec quelque justice ;
Mais pour moi sa louange[5] est un nouveau supplice.
On aigrit[6] ma douleur en l'élevant si haut :
Je vois ce que je perds quand je vois ce qu'il vaut.
1165 Ah ! cruels déplaisirs à l'esprit d'une amante !
Plus j'apprends son mérite, et plus mon feu s'augmente :
Cependant mon devoir est toujours le plus fort,
Et malgré mon amour va poursuivre[7] sa mort.

L'INFANTE
Hier ce devoir te mit en une haute estime ;
1170 L'effort que tu te fis[8] parut si magnanime,
Si digne d'un grand cœur, que chacun à la cour

---

notes

1. **merveilles** : exploits extraordinaires.
2. **publier hautement** : proclamer publiquement.
3. **populaire** : tenu par le peuple.
4. **Mars** : dieu de la Guerre chez les Romains.
5. **sa louange** : le fait de le louer.
6. **aigrit** : augmente.
7. **poursuivre** : chercher à obtenir.
8. **que tu te fis** : que tu fis sur toi-même.

Admirait ton courage et plaignait ton amour.
Mais croirais-tu l'avis d'une amitié fidèle ?

CHIMÈNE

Ne vous obéir pas me rendrait criminelle.

L'INFANTE

75 Ce qui fut juste alors ne l'est plus aujourd'hui.
Rodrigue maintenant est notre unique appui,
L'espérance et l'amour d'un peuple qui l'adore,
Le soutien de Castille, et la terreur du More.
Le Roi même est d'accord de[1] cette vérité,
80 Que ton père en lui seul se voit ressuscité ;
Et si tu veux enfin qu'en deux mots je m'explique,
Tu poursuis en sa mort la ruine publique[2].
Quoi ! pour venger un père est-il jamais permis
De livrer sa patrie aux mains des ennemis ?
85 Contre nous ta poursuite est-elle légitime,
Et pour être punis avons-nous part au crime ?
Ce n'est pas qu'après tout tu doives épouser
Celui qu'un père mort t'obligeait d'accuser :
Je te voudrais moi-même en arracher l'envie ;
90 Ôte-lui ton amour, mais laisse-nous sa vie.

CHIMÈNE

Ah ! ce n'est pas à moi d'avoir tant de bonté ;
Le devoir qui m'aigrit n'a rien de limité[3].
Quoique pour ce vainqueur mon amour s'intéresse,
Quoiqu'un peuple l'adore et qu'un roi le caresse[4],
95 Qu'il soit environné des plus vaillants guerriers,
J'irai sous mes cyprès[5] accabler ses lauriers.

---

otes

. de : sur.
. tu poursuis [...] publique : tu cherches la uine de l'État en demandant sa mort.
. n'a rien de limité : n'a aucune limite.

4. caresse : flatte.
5. cyprès : arbres des cimetières, opposés ici aux lauriers de la victoire de Rodrigue.

L'INFANTE
C'est générosité quand pour venger un père
Notre devoir attaque une tête si chère ;
Mais c'en est une encor d'un plus illustre rang,
1200   Quand on donne au public[1] les intérêts du sang.
Non, crois-moi, c'est assez que d'éteindre ta flamme ;
Il sera trop puni s'il n'est plus dans ton âme.
Que le bien du pays t'impose cette loi :
Aussi bien, que crois-tu que t'accorde le Roi ?

CHIMÈNE
1205   Il peut me refuser[2], mais je ne puis me taire.

L'INFANTE
Pense bien, ma Chimène, à ce que tu veux faire.
Adieu : tu pourras seule y penser à loisir.

CHIMÈNE
Après mon père mort[3], je n'ai point à choisir.

Scène 3

DON FERNAND, DON DIÈGUE,
DON ARIAS, DON RODRIGUE,
DON SANCHE

(Chez le Roi.)

DON FERNAND
Généreux héritier d'une illustre famille,
1210   Qui fut toujours la gloire et l'appui de Castille,
Race de tant d'aïeux en valeur signalés[4],
Que l'essai de la tienne[5] a sitôt égalés,

notes

1. **on donne au public :** on sacrifie à l'intérêt public.
2. **me refuser :** m'opposer un refus.
3. **Après mon père mort :** après la mort de mon père.

4. **en valeur signalés :** célèbres pour leur bravoure.
5. **la tienne :** ta valeur.

Pour te récompenser ma force est trop petite ;
Et j'ai moins de pouvoir que tu n'as de mérite.
5   Le pays délivré d'un si rude ennemi,
Mon sceptre dans ma main par la tienne affermi,
Et les Mores défaits avant qu'en ces alarmes
J'eusse pu donner ordre à[1] repousser leurs armes,
Ne sont point des exploits qui laissent à ton roi
10 Le moyen ni l'espoir de s'acquitter vers[2] toi.
Mais deux rois tes captifs feront ta récompense.
Ils t'ont nommé tous deux leur Cid[3] en ma présence :
Puisque Cid en leur langue est autant que seigneur,
Je ne t'envierai[4] pas ce beau titre d'honneur.
15 Sois désormais le Cid : qu'à ce grand nom tout cède ;
Qu'il comble d'épouvante et Grenade et Tolède,
Et qu'il marque à tous ceux qui vivent sous mes lois
Et ce que tu me vaux[5], et ce que je te dois.

DON RODRIGUE
Que Votre Majesté, Sire, épargne ma honte[6] ;
20 D'un si faible service elle fait trop de conte,
Et me force à rougir devant un si grand roi
De mériter si peu l'honneur que j'en reçoi[7].
Je sais trop que je dois au bien de votre empire[8],
Et le sang qui m'anime, et l'air que je respire ;
25 Et quand je les perdrai pour un si digne objet[9],
Je ferai seulement le devoir d'un sujet.

DON FERNAND
Tous ceux que ce devoir à mon service engage
Ne s'en acquittent pas avec même courage ;

----

tes

ordre à : l'ordre de.
vers : envers.
Cid : du mot arabe *sidi*, « seigneur ».
t'envierai : te refuserai.
tu me vaux : tu vaux pour moi.

6. honte : ici, modestie.
7. reçoi : reçois.
8. au bien de votre empire : au service de votre royaume.
9. un si digne objet : l'État.

Et lorsque la valeur ne va point dans l'excès[1]
1240 Elle ne produit point de si rares succès.
Souffre donc qu'on te loue, et de cette victoire
Apprends-moi plus au long[2] la véritable histoire.

DON RODRIGUE
Sire, vous avez su qu'en ce danger pressant,
Qui jeta dans la ville un effroi si puissant,
1245 Une troupe d'amis chez mon père assemblée
Sollicita[3] mon âme encor toute troublée...
Mais, Sire, pardonnez à ma témérité,
Si j'osai l'employer sans votre autorité :
Le péril approchait ; leur brigade[4] était prête ;
1250 Me montrant à la cour, je hasardais[5] ma tête ;
Et s'il fallait la perdre, il m'était bien plus doux
De sortir de la vie en combattant pour vous.

DON FERNAND
J'excuse ta chaleur[6] à venger ton offense ;
Et l'État défendu me parle en ta défense :
1255 Crois que dorénavant Chimène a beau parler,
Je ne l'écoute plus que pour la consoler.
Mais poursuis.

DON RODRIGUE
            Sous moi[7] donc cette troupe s'avance,
Et porte sur le front une mâle assurance.
Nous partîmes cinq cents ; mais par un prompt renfort
1260 Nous nous vîmes trois mille en arrivant au port,
Tant, à nous voir marcher avec un tel visage,
Les plus épouvantés reprenaient leur courage !
J'en cache les deux tiers, aussitôt qu'arrivés,

passage analysé

notes

1. ne va point dans l'excès : n'est pas exceptionnelle.
2. plus au long : de façon plus détaillée.
3. sollicita : poussa à agir, entraîna.

4. brigade : troupe armée.
5. hasardais : risquais.
6. chaleur : ardeur.
7. Sous moi : sous mon commandement.

Rodrigue (Samuel Labarthe)
devenu le Cid,
mise en scène
de Gérard Desarthe
(Bobigny, 1993).

Dans le fond des vaisseaux qui lors[1] furent trouvés ;
1265 Le reste, dont le nombre augmentait à toute heure,
Brûlant d'impatience autour de moi demeure,
Se couche contre terre, et sans faire aucun bruit,
Passe une bonne part d'une si belle nuit.
Par mon commandement la garde en fait de même,
1270 Et se tenant cachée, aide à mon stratagème ;
Et je feins hardiment d'avoir reçu de vous
L'ordre qu'on me voit suivre et que je donne à tous.
Cette obscure clarté qui tombe des étoiles
Enfin avec le flux nous fait voir trente voiles ;
1275 L'onde s'enfle dessous, et d'un commun effort
Les Mores et la mer montent jusques au port.
On les laisse passer ; tout leur paraît tranquille :
Point de soldats au port, point aux murs de la ville.
Notre profond silence abusant leurs esprits,
1280 Ils n'osent plus douter[2] de nous avoir surpris ;
Ils abordent sans peur, ils ancrent, ils descendent,
Et courent se livrer aux mains qui les attendent.
Nous nous levons alors, et tous en même temps
Poussons jusques au ciel mille cris éclatants.
1285 Les nôtres, à ces cris, de nos vaisseaux répondent ;
Ils paraissent[3] armés, les Mores se confondent[4],
L'épouvante les prend à demi descendus,
Avant que de combattre, ils s'estiment perdus.
Ils couraient au pillage, et rencontrent la guerre ;
1290 Nous les pressons sur l'eau, nous les pressons sur terre,
Et nous faisons courir des ruisseaux de leur sang,
Avant qu'aucun résiste ou reprenne son rang.
Mais bientôt, malgré nous, leurs princes les rallient[5] ;

passage analysé

notes

1. **lors** : alors.
2. **ils n'osent plus douter** : ils sont sûrs.
3. **paraissent** : surgissent.
4. **se confondent** : s'affolent dans la confusion.
5. **rallient** : rassemblent.

95   Leur courage renaît, et leurs terreurs s'oublient[1] :
La honte de mourir sans avoir combattu
Arrête leur désordre, et leur rend leur vertu.
Contre nous de pied ferme ils tirent leurs alfanges[2],
De notre sang au leur font d'horribles mélanges ;
00   Et la terre, et le fleuve, et leur flotte, et le port,
Sont des champs de carnage où triomphe la mort.
Ô combien d'actions, combien d'exploits célèbres
Sont demeurés sans gloire au milieu des ténèbres,
Où chacun, seul témoin des grands coups qu'il donnait,
05   Ne pouvait discerner où le sort inclinait[3] !
J'allais de tous côtés encourager les nôtres,
Faire avancer les uns, et soutenir les autres,
Ranger ceux qui venaient, les pousser à leur tour,
Et ne l'[4]ai pu savoir jusques au point du jour.
10   Mais enfin sa clarté montre notre avantage :
Le More voit sa perte et perd soudain courage,
Et voyant un renfort qui nous vient secourir,
L'ardeur de vaincre cède à la peur de mourir.
Ils gagnent leurs vaisseaux, ils en coupent les câbles,
15   Poussent jusques aux cieux des cris épouvantables,
Font retraite en tumulte, et sans considérer[5]
Si leurs rois avec eux peuvent se retirer.
Pour souffrir ce devoir leur frayeur est trop forte :
Le flux les apporta ; le reflux[6] les remporte,
20   Cependant que[7] leurs rois, engagés parmi nous[8],
Et quelque peu des leurs, tous percés de nos coups,
Disputent vaillamment et vendent bien leur vie.
À se rendre moi-même en vain je les convie :

passage analysé

---

otes

s'oublient : sont oubliées.
alfanges : sabres courts ou cimeterres.
où le sort inclinait : de quel côté le sort
penchait.
l' : renvoie à « *où le sort inclinait* ».

5. considérer : regarder.
6. reflux : marée descendante.
7. cependant que : tandis que.
8. engagés parmi nous : luttant contre nous.

passage analysé

Le cimeterre au poing ils ne m'écoutent pas ;
Mais voyant à leurs pieds tomber tous leurs soldats,
1325 Et que seuls désormais en vain ils se défendent,
Ils demandent le chef : je me nomme, ils se rendent.
Je vous les envoyai tous deux en même temps ;
Et le combat cessa faute de combattants.
C'est de cette façon que, pour votre service...

suite, p. 146

Un récit épique dans une tirade

Lecture analytique de l'extrait, p. 128, v. 1257, à p. 132, v. 1328.

La tirade*, dont la tradition remonte à l'Antiquité, est un véritable artifice capable de faire accepter au lecteur et au spectateur que, pendant des dizaines de vers, un personnage garde la parole sans être interrompu, rompant, l'espace d'un instant, toute spontanéité et donc tout effet de réel dans l'enchaînement des paroles. Cet artifice ne sera vraiment remis en cause qu'à partir du XVIIIe siècle.

Jacques Scherer rappelle que la tirade s'impose naturellement dans les moments de passion, mais aussi dans toute situation « *où il est vraisemblable que l'on use d'éloquence* ».

Dans la scène 3 de l'acte IV, Rodrigue revient après une longue absence : parti en disgrâce, il revient en héros, auréolé du surnom de Cid grâce à ses exploits guerriers. Il gagne ici ses galons de héros classique qui, comme le rappelle Jacques Scherer, brille par nombre de qualités (la jeunesse, la beauté...), parmi lesquelles « *la valeur militaire* », à l'image de « *son ancêtre, le preux du Moyen Âge* ».

Le Roi lui-même demande au héros de conter ses exploits ; tout en usant des caractéristiques traditionnelles énonciatives* de la narration, la tirade revêt ici l'apparence du récit épique*, à même de consacrer le statut du héros.

Le retour du héros

❶ Comment et par qui le retour de Rodrigue nous est-il annoncé au début de ce quatrième acte ?

❷ Où et pourquoi Rodrigue était-il parti ?

* *Cf.* Lexique.

Lecture analytique

❸ En vous appuyant sur le début de la scène, pouvez-vous dire en quoi cette tirade* justifie le surnom donné à Rodrigue et, par là même, le titre de la pièce ? Quels vers dans la tirade font écho à ce surnom ?

❹ Comment cette longue tirade s'insère-t-elle dans l'échange des répliques* et quel statut donne-t-elle ici à Rodrigue ?

Une tirade à vocation narrative

❺ Quelles sont les étapes du récit et comment s'articulent-elles ?

❻ Quelles sont les marques du récit dans le système énonciatif* ?

❼ Quel temps domine dans cette tirade et en quoi cela influe-t-il sur le rythme* de la tirade ?

❽ Quel rôle joue la métrique* dans la narration ?

Un récit épique*

❾ Par quels procédés le récit se situe-t-il, dès les six premiers vers de l'extrait (v. 1257-1262), dans le registre* épique ?

❿ Quel champ lexical* prédomine dans cette tirade et participe de l'évocation de la violence guerrière ?

⓫ Quelle construction repérez-vous aux vers 1294 et 1318 ? De quelle manière contribue-t-elle à la dramatisation de la scène racontée ?

⓬ Analysez les caractéristiques rythmiques des paires de vers 1281-1282 et 1299-1300 et les effets qui s'en dégagent.

* *Cf.* Lexique.

Visages de la cruauté guerrière

Lectures croisées et travaux d'écriture

La guerre est un thème littéraire dont on trouve trace dans tous les genres et à toutes les époques : les épopées dans l'Antiquité, les romans de chevalerie au Moyen Âge, les témoignages au XXᵉ siècle. La guerre est parfois le thème principal d'une œuvre, mais elle peut aussi n'en être que la toile de fond, que le prétexte.

Souvent les auteurs en dénoncent la cruauté, l'aberration, d'Agrippa d'Aubigné à Aragon, en passant par Rabelais, Voltaire ou Hugo. Pour ce faire, ils sollicitent des moyens littéraires et rhétoriques* variés : la fiction (conte philosophique, roman), le pamphlet, la poésie, la satire... Outre la littérature, les arts en général mettent en scène le monstrueux spectacle de la guerre. Le cinéma et la bande dessinée recourent parfois à la satire, voire à la caricature, à l'image du *Dictateur* de Charlie Chaplin et de *Maus* d'Art Spiegelman. La peinture, quant à elle, joue sur la force des images : les scènes de guerre frappent souvent par la densité des personnages, la violence des couleurs ou des formes et les détails morbides (*L'Enlèvement des Sabines* de David, *Les Massacres de Scio* de Delacroix, *Guernica* de Picasso, *Dos de Mayo* de Goya).

Texte A : Extrait de la scène 3 de l'acte IV du *Cid* de Corneille (p. 128, v. 1257, à p. 132, v. 1328)

Texte B : Voltaire, *Dictionnaire philosophique*
En 1764, alors âgé de 70 ans, Voltaire rédige son Dictionnaire philosophique, *où il regroupe les grands sujets de réflexion qui ont inspiré les Lumières. Dans ce « petit dictionnaire portatif », comme il l'appelait, Voltaire donne à ses définitions un tour brillant et ironique pour défendre les valeurs de progrès et de tolérance et faire avancer les conquêtes de la raison : on retrouve là l'auteur de pamphlets et celui de contes philosophiques qui savait donner à des critiques acerbes des tours plaisants.*

* Cf. Lexique.

Un généalogiste prouve à un prince qu'il descend en droite ligne d'un comte dont les parents avaient fait un pacte de famille, il y a trois ou quatre cents ans avec une maison dont la mémoire même ne subsiste plus. Cette maison avait des prétentions éloignées sur une province dont le dernier possesseur est mort d'apoplexie : le prince et son conseil concluent sans difficulté que cette province lui appartient de droit divin. Cette province, qui est à quelques centaines de lieues de lui, a beau protester qu'elle ne le connaît pas, qu'elle n'a nulle envie d'être gouvernée par lui ; que, pour donner des lois aux gens, il faut au moins avoir leur consentement : ces discours ne parviennent pas seulement aux oreilles du prince, dont le droit est incontestable. Il trouve incontinent[1] un grand nombre d'hommes qui n'ont rien à perdre ; il les habille d'un gros drap bleu à cent dix sous l'aune[2], borde leurs chapeaux avec du gros fil blanc, les fait tourner à droite et à gauche et marche à la gloire.

Les autres princes qui entendent parler de cette équipée y prennent part, chacun selon son pouvoir, et couvrent une petite étendue de pays de plus de meurtriers mercenaires que Gengis Khan[3], Tamerlan[4], Bajazet[5] n'en traînèrent à leur suite.

Des peuples assez éloignés entendent dire qu'on va se battre, et qu'il y a cinq à six sous par jour à gagner pour eux s'ils veulent être de la partie : ils se divisent aussitôt en deux bandes comme des moissonneurs, et vont vendre leurs services à quiconque veut les employer.

Ces multitudes s'acharnent les unes contre les autres, non seulement sans avoir aucun intérêt au procès, mais sans savoir même de quoi il s'agit.

Il se trouve à la fois cinq ou six puissances belligérantes, tantôt trois contre trois, tantôt deux contre quatre, tantôt une contre cinq, se détestant toutes également les unes les autres, s'unissant et s'attaquant tour à tour ; toutes d'accord en un seul point, celui de faire tout le mal possible.

Le merveilleux de cette entreprise infernale, c'est que chaque chef des meurtriers fait bénir ses drapeaux et invoque Dieu solennellement avant d'aller exterminer son prochain.

Voltaire, *Dictionnaire philosophique*, article « Guerre », 1764.

1. **incontinent** : immédiatement.
2. **aune** : ancienne mesure de longueur servant surtout pour les étoffes et valant à peu près 1,20 m.
3. **Gengis Khan** : grand chef de guerre mongol des XIIe-XIIIe siècles.
4. **Tamerlan** : conquérant turc du XIVe siècle qui proclamait que « *Dieu donne la victoire à celui qu'il a choisi pour faire triompher Sa justice* ».
5. **Bajazet** : sultan turc de la dynastie des Ottomans qui mena des conquêtes au XIVe siècle et sera battu en 1402 par Tamerlan.

Texte C : Stendhal, *La Chartreuse de Parme*

Huit ans après la parution du **Rouge et le Noir**, *Stendhal (1783-1842) – de son vrai nom Henri Beyle – attaque l'écriture de* **La Chartreuse de Parme**. *Il lui faudra à peine quelques mois pour présenter un texte de plus de 500 pages à son éditeur ! La bataille de Waterloo est l'extrait choisi par* **Le Constitutionnel** *pour être publié en avant-première, à la suite de quoi Balzac envoie une lettre de félicitations à Stendhal. Malgré tout, ce roman ne recevra que peu d'échos et d'éloges dans la presse. Cependant, Balzac publiera en septembre 1840 un très long article élogieux sur ce roman :* « M. Beyle a fait un livre où le sublime éclate de chapitre en chapitre. »

Bizarre coïncidence numérique, vingt-six bataillons allaient recevoir ces vingt-six escadrons. Derrière la crête du plateau, à l'ombre de la batterie masquée, l'infanterie anglaise, formée en treize carrés, deux bataillons par carré, et sur deux lignes, sept sur la première, six sur la seconde, la crosse à l'épaule, couchant en joue[1] ce qui allait venir, calme, muette, immobile, attendait.

Elle ne voyait pas les cuirassiers et les cuirassiers ne la voyaient pas. Elle écoutait monter cette marée d'hommes. Elle entendait le grossissement du bruit des trois mille chevaux, le frappement alternatif et symétrique des sabots au grand trot, le froissement des cuirasses, le cliquetis des sabres, et une sorte de grand souffle farouche. Il y eut un silence redoutable, puis, subitement, une longue file de bras levés brandissant des sabres apparut au-dessus de la crête, et les casques, et les trompettes, et les étendards, et trois mille têtes à moustaches grises criant : Vive l'empereur ! toute cette cavalerie déboucha sur le plateau, et ce fut comme l'entrée d'un tremblement de terre.

Nous avouerons que notre héros était fort peu héros en ce moment. Toutefois la peur ne venait chez lui qu'en seconde ligne ; il était surtout scandalisé de ce bruit qui lui faisait mal aux oreilles.

L'escorte prit le galop ; on traversait une grande pièce de terre labourée, située au-delà du canal, et ce champ était jonché de cadavres. – Les habits rouges ! les habits rouges ! criaient avec joie les hussards[2] de l'escorte, et d'abord Fabrice ne comprenait pas ; enfin il remarqua qu'en effet presque tous les cadavres étaient vêtus de rouge. Une circonstance lui donna un frisson d'horreur ; il remarqua que beaucoup de ces malheureux habits rouges vivaient encore ; ils criaient évidemment pour demander du secours, et personne ne s'arrêtait pour leur en donner. Notre héros, fort humain, se donnait toutes les peines du monde pour que son cheval ne mît les pieds sur aucun habit rouge. L'escorte s'arrêta ; Fabrice, qui ne faisait pas assez d'attention à son devoir de soldat, galopait toujours en regardant un malheureux blessé.

– Veux-tu bien t'arrêter, blanc-bec ! lui cria le maréchal des logis. Fabrice s'aperçut qu'il était à vingt pas sur la droite en avant des généraux, et précisément du côté où ils regardaient avec leurs lorgnettes. En revenant se ranger à la queue des autres hussards restés à quelques pas en arrière, il vit le plus gros de ces généraux qui parlait à son voisin, général aussi, d'un air d'autorité et presque de réprimande ; il jurait. Fabrice ne put retenir sa curiosité ; et, malgré le conseil de ne point parler, à lui donné par son amie la geôlière, il arrangea une petite phrase bien française, bien correcte, et dit à son voisin :

– Quel est-il ce général qui *gourmande*[3] son voisin ?

– Pardi, c'est le maréchal !

– Quel maréchal ?

– Le maréchal Ney, bêta ! Ah çà ! où as-tu servi jusqu'ici ?

Fabrice, quoique fort susceptible, ne songea point à se fâcher de l'injure ; il contemplait, perdu dans une admiration enfantine, ce fameux prince de la Moskova[4], le brave des braves.

Tout à coup on partit au grand galop. Quelques instants après, Fabrice vit, à vingt pas en avant, une terre labourée qui était remuée d'une façon singulière. Le fond des sillons était plein d'eau, et la terre fort humide, qui formait la crête de ces sillons, volait en petits fragments noirs lancés à trois ou quatre pieds de haut. Fabrice remarqua en passant cet effet singulier ; puis sa pensée se remit à songer à la gloire du maréchal. Il entendit un cri sec auprès de lui : c'étaient deux hussards qui tombaient atteints par des boulets ; et, lorsqu'il les regarda, ils étaient déjà à vingt pas de l'escorte. Ce qui lui sembla horrible, ce fut un cheval tout sanglant qui se débattait sur la terre labourée, en engageant ses pieds dans ses propres entrailles ; il voulait suivre les autres : le sang coulait dans la boue.

Ah ! m'y voilà donc enfin au feu ! se dit-il. J'ai vu le feu ! se répétait-il avec satisfaction. Me voici un vrai militaire. À ce moment, l'escorte allait ventre à terre, et notre héros comprit que c'étaient des boulets qui faisaient voler la terre de toutes parts. Il avait beau regarder du côté d'où venaient les boulets, il voyait la fumée blanche de la batterie à une distance énorme, et, au milieu du ronflement égal et continu produit par les coups de canon, il lui semblait entendre des décharges beaucoup plus voisines ; il n'y comprenait rien du tout.

Stendhal, *La Chartreuse de Parme*, 1839.

1. **couchant en joue :** visant l'horizon, prêt à tirer.
2. **hussards :** militaires de la cavalerie dont la tenue fut à l'origine empruntée à la cavalerie hongroise.
3. *gourmande :* réprimande, admoneste.
4. **Moskova :** bataille qui s'est déroulée le 7 septembre 1812 et qui a opposé l'armée de Napoléon (dirigée par le maréchal Ney) aux soldats russes ; c'est une des victoires les plus difficiles, marquée par plus de 24 000 morts français.

Texte D : Victor Hugo, *Les Châtiments*

Victor Hugo (1802-1885) a publié, à l'époque des Châtiments, *plus de la moitié de son œuvre. Sa maîtrise de tous les genres a fait de lui le chef de file du romantisme. Sous Louis-Philippe, le poète entre en politique et devient député, puis il milite pour le prince Louis Napoléon en qui il fonde de grands espoirs. Mais, épris de république, Victor Hugo est très vite déçu par l'orientation politique de celui qui deviendra Napoléon III par un coup d'État. Le poète devient indésirable et doit s'exiler, à Jersey notamment, où il compose* Les Châtiments.

Waterloo ! Waterloo ! Waterloo ! morne plaine !
Comme une onde qui bout dans une urne trop pleine,
Dans ton cirque de bois, de coteaux, de vallons,
La pâle mort mêlait les sombres bataillons.
D'un côté c'est l'Europe et de l'autre la France.
Choc sanglant ! des héros Dieu trompait l'espérance ;
Tu désertais, victoire, et le sort était las.
Ô Waterloo ! je pleure et je m'arrête, hélas !
Car ces derniers soldats de la dernière guerre
Furent grands ; ils avaient vaincu toute la terre,
Chassé vingt rois, passé les Alpes et le Rhin,
Et leur âme chantait dans les clairons d'airain[1] !
Le soir tombait : la lutte était ardente et noire.
Il avait l'offensive et presque la victoire ;
Il tenait Wellington[2] acculé sur un bois.
Sa lunette à la main, il observait parfois
Le centre du combat, point obscur où tressaille
La mêlée, effroyable et vivante broussaille,
Et parfois l'horizon, sombre comme la mer.
Soudain joyeux, il dit : Grouchy[3] ! – C'était Blücher[4].

L'espoir changea de camp, le combat changea d'âme,
La mêlée en hurlant grandit comme une flamme.
La batterie anglaise écrasa nos carrés.
La plaine où frissonnaient les drapeaux déchirés,
Ne fut plus, dans les cris des mourants qu'on égorge,
Qu'un gouffre flamboyant, rouge comme une forge ;
Gouffre où les régiments, comme des pans de murs,
Tombaient, où se couchaient comme des épis mûrs
Les hauts tambours-majors aux panaches énormes,
Où l'on entrevoyait des blessures difformes !
Carnage affreux ! Moment fatal ! L'homme inquiet
Sentit que la bataille entre ses mains pliait.
Derrière un mamelon la garde était massée.
La garde, espoir suprême et suprême pensée !
– Allons ! Faites donner la garde, cria-t-il !
Et Lanciers, Grenadiers aux guêtres de coutil[5],
Dragons que Rome eût pris pour des légionnaires,
Cuirassiers, Canonniers qui traînaient des tonnerres,
Portant le noir colback[6] ou le casque poli,
Tous, ceux de Friedland et ceux de Rivoli[7],
Comprenant qu'ils allaient mourir dans cette fête,
Saluèrent leur dieu, debout dans la tempête.
Leur bouche, d'un seul cri, dit : vive l'empereur !
Puis, à pas lents, musique en tête, sans fureur,
Tranquille, souriant à la mitraille anglaise,
La garde impériale entra dans la fournaise.
Hélas ! Napoléon, sur sa garde penché,
Regardait, et sitôt qu'ils avaient débouché
Sous les sombres canons crachant des jets de soufre,
Voyait, l'un après l'autre, en cet horrible gouffre,
Fondre ces régiments de granit et d'acier
Comme fond une cire au souffle d'un brasier.
Ils allaient, l'arme au bras, front haut, graves, stoïques[8].
Pas un ne recula. Dormez, morts héroïques !
Le reste de l'armée hésitait sur leurs corps
Et regardait mourir la garde. – C'est alors
Qu'élevant tout à coup sa voix désespérée,
La Déroute, géante à la face effarée,

Qui, pâle, épouvantant les plus fiers bataillons,
Changeant subitement les drapeaux en haillons,
À de certains moments, spectre fait de fumées,
Se lève grandissante au milieu des armées,
La Déroute apparut au soldat qui s'émeut,
Et, se tordant les bras, cria : Sauve qui peut !
Sauve qui peut ! Affront ! Horreur ! toutes les bouches
Criaient ; à travers champs, fous, éperdus, farouches,
Comme si quelque souffle avait passé sur eux,
Parmi les lourds caissons et les fourgons poudreux,
Roulant dans les fossés, se cachant dans les seigles,
Jetant shakos[9], manteaux, fusils, jetant les aigles[10],
Sous les sabres prussiens, ces vétérans, ô deuil !
Tremblaient, hurlaient, pleuraient, couraient. – En un clin d'œil
Comme s'envole au vent une paille enflammée,
S'évanouit ce bruit qui fut la grande armée,
Et cette plaine, hélas ! où l'on rêve aujourd'hui,
Vit fuir ceux devant qui l'univers avait fui !
Quarante ans sont passés, et ce coin de la terre,
Waterloo, ce plateau funèbre et solitaire,
Ce champ sinistre où Dieu mêla tant de néants,
Tremble encor d'avoir vu la fuite des géants !
Napoléon les vit s'écouler comme un fleuve ;
Hommes, chevaux, tambours, drapeaux ; – et dans l'épreuve
Sentant confusément revenir son remords,
Levant les mains au ciel, il dit : – Mes soldats mort,
Moi vaincu ! Mon empire est brisé comme verre.
Est-ce le châtiment cette fois, Dieu sévère ?
Alors parmi les cris, les rumeurs, le canon,
Il entendit la voix qui lui répondait : non !

Victor Hugo, *Les Châtiments*, livre V, « L'Expiation », 1853.

1. clairons d'airain : instruments de musique utilisés dans l'armée ; l'ajout du complément du nom peut prendre deux sens, l'« airain » désignant la matière de l'instrument (cuivre) mais aussi le caractère dur, impitoyable (en emploi littéraire) de l'armée en marche.
2. Wellington : le maréchal duc de Wellington est à la tête des Hollandais, des Anglais et des Prussiens contre la France, lors de la bataille de Waterloo.
3. Grouchy (1766-1847) servit fidèlement Napoléon malgré quelques oppositions qui le tinrent notamment à l'écart de la bataille de Waterloo.
4. Blücher (1742-1819) fut général en chef de l'armée de ligne prussienne ; après avoir été battu par Napoléon à Ligny le 16 juin 1815, il prendra sa revanche à Waterloo en menant l'attaque décisive contre l'aile droite française aux côtés de Wellington.

5. **coutil :** tissu croisé et très serré en fil ou en coton, particulièrement résistant.
6. **colback :** ancienne coiffure militaire de forme conique.
7. **Friedland, Rivoli :** victoires de Napoléon.
8. **stoïques :** impassibles devant la douleur, le malheur.
9. **shakos :** coiffures militaires portées notamment par les républicains.
10. **les aigles :** symbole militaire français renvoyant à Napoléon et donc ici à sa défaite.

Texte E : Henri Barbusse, *Le Feu*

Henri Barbusse (1873-1935) est le premier écrivain à livrer son témoignage de cette « boucherie humaine » que fut la guerre de 1914-1918. Rompant avec le modèle du soldat héroïque, il nous décrit l'horreur des combats et la fraternité des tranchées. Son roman, sous-titré Journal d'une escouade *et initialement paru en feuilleton dans la presse, a reçu le Prix Goncourt en 1916.*

On distingue de longs fossés en lacis[1] où le résidu de nuit s'accumule. C'est la tranchée. Le fonds en est tapissé d'une couche visqueuse d'où le pied se décolle à chaque pas avec bruit, et qui sent mauvais à chaque abri, à cause de l'urine de la nuit. Les trous eux-mêmes, si on s'y penche en passant, puent aussi, comme des bouches.

Je vois des ombres émerger de ces puits latéraux, et se mouvoir, masses énormes et difformes : des espèces d'ours qui pataugent et grognent. C'est nous.

Nous sommes emmitouflés à la manière des populations arctiques. Lainages, couvertures, toiles à sac, nous empaquettent, nous surmontent, nous arrondissent étrangement. Quelques-uns s'étirent, vomissent des bâillements. On perçoit des figures, rougeoyantes ou livides, avec des salissures qui les balafrent, trouées par les veilleuses d'yeux brouillés et collés au bord, embroussaillées de barbes non taillées ou encrassées de poils non rasés.

Tac ! Tac ! Pan ! Les coups de fusil, la canonnade. Au-dessus de nous, partout, ça crépite ou ça roule, par longues rafales ou par coups séparés. Le sombre et flamboyant orage ne cesse jamais, jamais. Depuis plus de quinze mois, depuis cinq cent jours, en ce lieu du monde où nous sommes, la fusillade et le bombardement ne se sont pas arrêtés du matin au soir et du soir au matin. On est enterré au fond d'un champ de bataille ; mais comme le tic-tac des horloges de nos maisons, aux temps d'autrefois, dans le passé quasi légendaire, on n'entend cela que lorsqu'on écoute.

Henri Barbusse, *Le Feu*, Flammarion, 1916.

1. **lacis :** vaisseaux entrelacés.

Document¹: C. R. W. Nevinson, *Paths of Glory* (*Les Chemins de la gloire*, 1917)

Cette toile fut interdite d'exposition en 1918 mais Nevinson refusa de la décrocher et la dissimula derrière un papier brun, sur lequel il écrivit « Censuré ». Ce geste lui valut une remontrance du War Office *: il était interdit de montrer la réalité et plus encore de dénoncer la censure. La toile se démarque de l'œuvre de Nevinson par son réalisme appuyé très proche de la photographie. En 1957, le cinéaste américain Stanley Kubrick a repris le titre pour un film qui dénonce violemment l'absurdité de la Grande Guerre (Les Sentiers de la gloire).*

Corpus

Texte A : Extrait de la scène 3 de l'acte IV du *Cid* de Pierre Corneille (p. 128, v. 1257, à p. 132, v. 1328).

Texte B : Article « Guerre » du *Dictionnaire philosophique* de Voltaire (pp. 135-136).

Texte C : Extrait de *La Chartreuse de Parme* de Stendhal (pp. 137-139).

Texte D : Extrait des *Châtiments* de Victor Hugo (pp. 139-142).

Texte E : Extrait du *Feu* d'Henri Barbusse (p. 142).

Document : *Paths of Glory (Les Chemins de la gloire)* de C. R. W. Nevinson (p. 143).

Examen des textes et de l'image

❶ Comment la violence de la guerre est-elle évoquée dans les différents documents (lexique, artifices rhétoriques*, force des images...) ?

❷ Quels textes utilisent le registre* épique ? De quelle manière ce registre se manifeste-t-il ?

❸ Quelles sont les ressemblances et les différences entre les versions de la bataille de Waterloo présentées dans les textes C et D ?

❹ Comment la critique de la guerre s'exprime-t-elle à travers les textes B, C, E et le document ?

Travaux d'écriture

Question préliminaire

De quelle manière ces six documents montrent-ils la cruauté de la guerre ?

Commentaire

Vous ferez le commentaire de l'extrait du *Dictionnaire philosophique* de Voltaire (texte B).

* *Cf.* Lexique.

Travaux d'écriture

Dissertation
Les textes littéraires recèlent souvent des formes d'argumentation plus ou moins explicites. Pensez-vous, pour autant, qu'ils soient des moyens propres à persuader et convaincre ?

Écriture d'invention
Fabrice, le héros de *La Chartreuse de Parme,* écrit une lettre à un ami pour lui livrer ses premières impressions du combat. Vous prendrez soin de restituer les impressions perceptibles dans le texte d'origine, afin de montrer à la fois la peur, l'étonnement, le dégoût mais aussi la fascination du jeune homme pour le spectacle de la guerre.

Scène 4

DON FERNAND, DON DIÈGUE,
DON RODRIGUE, DON ARIAS,
DON ALONSE, DON SANCHE

DON ALONSE

1330 Sire, Chimène vient vous demander justice.

DON FERNAND

La fâcheuse nouvelle, et l'importun devoir !
Va, je ne la veux pas obliger à te voir.
Pour tous remerciements il faut que je te chasse ;
Mais avant que sortir, viens, que ton roi t'embrasse.

DON DIÈGUE

1335 Chimène le poursuit, et voudrait le sauver.

DON FERNAND

On m'a dit qu'elle l'aime, et je vais l'éprouver.
Montrez un œil plus triste.

Scène 5

DON FERNAND, DON DIÈGUE,
DON ARIAS, DON SANCHE,
DON ALONSE, CHIMÈNE, ELVIRE

DON FERNAND

                    Enfin soyez contente,
Chimène, le succès[1] répond à votre attente :
Si de nos ennemis Rodrigue a le dessus,

1340 Il est mort à nos yeux des coups qu'il a reçus ;
Rendez grâces au ciel, qui vous en a vengée.

(À Don Diègue.)

Voyez comme déjà sa couleur est changée.

note

| **1. succès** : issue.

DON DIÈGUE
Mais voyez qu'elle pâme[1], et d'un amour parfait,
Dans cette pâmoison, Sire, admirez l'effet.
45 Sa douleur a trahi les secrets de son âme,
Et ne vous permet plus de douter de sa flamme.

CHIMÈNE
Quoi ! Rodrigue est donc mort ?

DON FERNAND
                              Non, non, il voit le jour,
Et te conserve encore un immuable amour :
Calme cette douleur qui pour lui s'intéresse.

CHIMÈNE
50 Sire, on pâme de joie ainsi que de tristesse ;
Un excès de plaisir nous rend tout languissants[2],
Et quand il surprend l'âme, il accable les sens.

DON FERNAND
Tu veux qu'en ta faveur[3] nous croyions l'impossible ?
Chimène, ta douleur a paru trop visible.

CHIMÈNE
55 Eh bien ! Sire, ajoutez ce comble à mon malheur,
Nommez ma pâmoison l'effet de ma douleur :
Un juste déplaisir à ce point m'a réduite.
Son trépas dérobait sa tête à ma poursuite ;
S'il meurt des coups reçus pour le bien du pays,
60 Ma vengeance est perdue et mes desseins trahis :
Une si belle fin m'est trop injurieuse[4].
Je demande sa mort, mais non pas glorieuse,
Non pas dans un éclat qui l'élève si haut,

---

otes

1. pâme : s'évanouit.
2. languissants : sans forces.

3. en ta faveur : pour te complaire.
4. injurieuse : injuste.

147

Non pas au lit d'honneur[1], mais sur un échafaud ;
1365 Qu'il meure pour mon père[2], et non pour la patrie ;
Que son nom soit taché, sa mémoire flétrie.
Mourir pour le pays n'est pas un triste sort ;
C'est s'immortaliser par une belle mort.
J'aime donc sa victoire, et je le puis sans crime ;
1370 Elle assure[3] l'État, et me rend ma victime,
Mais noble, mais fameuse entre tous les guerriers,
Le chef, au lieu de fleurs[4], couronné de lauriers ;
Et pour dire en un mot ce que j'en considère,
Digne d'être immolée aux mânes[5] de mon père...
1375 Hélas ! à quel espoir me laissé-je emporter !
Rodrigue de ma part n'a rien à redouter :
Que pourraient contre lui des larmes qu'on méprise ?
Pour lui tout votre empire est un lieu de franchise[6] ;
Là, sous votre pouvoir, tout lui devient permis ;
1380 Il triomphe de moi comme des ennemis.
Dans leur sang répandu la justice étouffée
Aux crimes du vainqueur sert d'un[7] nouveau trophée ;
Nous en croissons la pompe[8], et le mépris des lois
Nous fait suivre son char au milieu de deux rois.

DON FERNAND
1385 Ma fille, ces transports ont trop de violence.
Quand on rend la justice, on met tout en balance :
On a tué ton père, il était l'agresseur ;
Et la même équité[9] m'ordonne la douceur.
Avant que d'accuser ce que j'en fais paraître,
1390 Consulte bien ton cœur : Rodrigue en est le maître,

notes

1. **lit d'honneur :** champ d'honneur.
2. **pour mon père :** pour venger mon père.
3. **assure :** sauvegarde.
4. **fleurs :** fleurs dont, dans l'Antiquité, on parait la victime avant de l'immoler.
5. **mânes :** âme d'un mort.
6. **franchise :** liberté.
7. **d'un :** de.
8. **nous en croissons la pompe :** nous augmentons son triomphe.
9. **la même équité :** l'équité même.

Et ta flamme en secret rend grâces à ton roi
Dont la faveur conserve un tel amant pour toi.

CHIMÈNE
Pour moi ! mon ennemi ! l'objet de ma colère !
L'auteur de mes malheurs ! l'assassin de mon père !
De ma juste conduite on fait si peu de cas
Qu'on me croit obliger[1] en ne m'écoutant pas !
Puisque vous refusez la justice à mes larmes,
Sire, permettez-moi de recourir aux armes ;
C'est par là seulement qu'il a su m'outrager,
Et c'est aussi par là que je me dois venger.
À tous vos cavaliers je demande sa tête :
Oui, qu'un d'eux me l'apporte, et je suis sa conquête ;
Qu'ils le combattent, Sire, et le combat fini,
J'épouse le vainqueur, si Rodrigue est puni.
Sous votre autorité souffrez qu'on le publie.

DON FERNAND
Cette vieille coutume en ces lieux établie,
Sous couleur de[2] punir un injuste attentat,
Des meilleurs combattants affaiblit un État ;
Souvent de cet abus le succès déplorable
Opprime l'innocent, et soutient le coupable.
J'en dispense Rodrigue ; il m'est trop précieux
Pour l'exposer aux coups d'un sort capricieux ;
Et quoi qu'ait pu commettre un cœur si magnanime,
Les Mores en fuyant ont emporté son crime.

DON DIÈGUE
Quoi ! Sire, pour lui seul vous renversez des lois
Qu'a vu toute la Cour observer tant de fois !

---

otes

. **qu'on me croit obliger :** qu'on croit m'être | 2. **sous couleur de :** sous prétexte de.
gréable.

149

Que croira votre peuple et que dira l'envie,
Si sous votre défense il ménage[1] sa vie,
Et s'en fait un prétexte à ne paraître pas
1420   Où tous les gens d'honneur cherchent un beau trépas ?
De pareilles faveurs terniraient trop sa gloire :
Qu'il goûte sans rougir les fruits de sa victoire.
Le Comte eut de l'audace, il l'en a su punir :
Il l'a fait en brave homme[2], et le doit maintenir[3].

DON FERNAND

1425   Puisque vous le voulez, j'accorde qu'il le fasse ;
Mais d'un guerrier vaincu mille prendraient la place,
Et le prix que Chimène au vainqueur a promis
De tous mes cavaliers ferait ses ennemis.
L'opposer seul à tous serait trop d'injustice :
1430   Il suffit qu'une fois il entre dans la lice[4].
Choisis qui tu voudras, Chimène, et choisis bien ;
Mais après ce combat ne demande plus rien.

DON DIÈGUE

N'excusez point par là ceux que son bras étonne[5] :
Laissez un champ ouvert, où n'entrera personne.
1435   Après ce que Rodrigue a fait voir aujourd'hui,
Quel courage assez vain s'oserait prendre à lui ?
Qui se hasarderait contre un tel adversaire ?
Qui serait ce vaillant, ou bien ce téméraire ?

DON SANCHE

Faites ouvrir le champ : vous voyez l'assaillant ;
1440   Je suis ce téméraire, ou plutôt ce vaillant.
Accordez cette grâce à l'ardeur qui me presse,
Madame : vous savez quelle est votre promesse.

notes

1. **ménage** : protège.
2. **en brave homme** : en homme brave.
3. **et le doit maintenir** : et doit le rester.
4. **lice** : arène fermée des tournois ou des duels.
5. **étonne** : frappe d'effroi.

DON FERNAND
Chimène, remets-tu ta querelle en sa main ?

CHIMÈNE
Sire, je l'ai promis.

DON FERNAND
                    Soyez prêt à demain.

DON DIÈGUE
45 Non, Sire, il ne faut pas différer davantage :
On est toujours trop prêt quand on a du courage.

DON FERNAND
Sortir d'une bataille, et combattre à l'instant !

DON DIÈGUE
Rodrigue a pris haleine en vous la racontant.

DON FERNAND
Du moins une heure ou deux je veux qu'il se délasse.
50 Mais de peur qu'en exemple un tel combat ne passe[1],
Pour témoigner à tous qu'à regret je permets
Un sanglant procédé[2] qui ne me plut jamais,
De moi ni de ma cour il n'aura la présence.
                              (Il parle à Don Arias.)
Vous seul des combattants jugerez la vaillance :
55 Ayez soin que tous deux fassent[3] en gens de cœur,
Et le combat fini, m'amenez le vainqueur.
Qui qu'il soit, même prix est acquis à sa peine :
Je le veux de ma main présenter à Chimène,
Et que pour récompense il reçoive sa foi.

CHIMÈNE
60 Quoi ! Sire, m'imposer une si dure loi !

---

otes

1. de peur [...] ne passe : de peur qu'un tel combat ne devienne un exemple.

2. un sanglant procédé : le duel.
3. fassent : agissent.

DON FERNAND
Tu t'en plains ; mais ton feu, loin d'avouer[1] ta plainte,
Si Rodrigue est vainqueur, l'accepte[2] sans contrainte.
Cesse de murmurer contre un arrêt si doux :
Qui que ce soit des deux, j'en ferai ton époux.

**Fanny Robiane
(de l'Odéon)
dans le rôle de
Chimène en 1929.**

notes

1. **avouer :** approuver.
2. **l'accepte :** l'acceptera.

Acte V

Scène première

DON RODRIGUE, CHIMÈNE

(Chez Chimène.)

CHIMÈNE

Quoi ! Rodrigue, en plein jour ! d'où te vient cette audace ?
Va, tu me perds d'honneur¹ ; retire-toi, de grâce.

DON RODRIGUE

Je vais mourir, Madame, et vous viens en ce lieu,
Avant le coup mortel, dire un dernier adieu :
Cet immuable amour qui sous vos lois m'engage
N'ose accepter ma mort sans vous en faire hommage².

CHIMÈNE

Tu vas mourir !

otes

perds d'honneur : déshonores.

2. hommage : offrande du chevalier à sa dame.

DON RODRIGUE

        Je cours à ces heureux moments
Qui vont livrer ma vie à vos ressentiments.

CHIMÈNE

Tu vas mourir ! Don Sanche est-il si redoutable
Qu'il donne l'épouvante à ce cœur indomptable ?
1475   Qui t'a rendu si faible, ou qui le rend si fort ?
Rodrigue va combattre, et se croit déjà mort !
Celui qui n'a pas craint les Mores, ni mon père,
Va combattre don Sanche, et déjà désespère !
Ainsi donc au besoin¹ ton courage s'abat !

DON RODRIGUE

1480   Je cours à mon supplice, et non pas au combat ;
Et ma fidèle ardeur sait bien m'ôter l'envie,
Quand vous cherchez ma mort, de défendre ma vie.
J'ai toujours même cœur ; mais je n'ai point de bras
Quand il faut conserver ce qui ne vous plaît pas ;
1485   Et déjà cette nuit m'aurait été mortelle,
Si j'eusse combattu pour ma seule querelle ;
Mais défendant mon roi, son peuple et mon pays,
À me défendre mal² je les aurais trahis.
Mon esprit généreux ne hait pas tant la vie,
1490   Qu'il en veuille sortir par une perfidie³.
Maintenant qu'il s'agit de mon seul intérêt,
Vous demandez ma mort, j'en accepte l'arrêt.
Votre ressentiment choisit la main d'un autre
(Je ne méritais pas de mourir de la vôtre) :
1495   On ne me verra point en repousser les coups ;
Je dois plus de respect à qui combat pour vous ;
Et ravi de penser que c'est de vous qu'ils viennent,

notes

1. **au besoin :** quand tu en as besoin.
2. **à me défendre mal :** en me défendant mal.
3. **perfidie :** trahison.

Puisque c'est votre honneur que ses armes soutiennent,
Je vais lui présenter mon estomac ouvert[1],
Adorant en sa main la vôtre qui me perd.

CHIMÈNE
Si d'un triste devoir la juste violence,
Qui me fait malgré moi poursuivre ta vaillance,
Prescrit à ton amour une si forte loi
Qu'il te rend sans défense à qui[2] combat pour moi,
En cet aveuglement ne perds pas la mémoire
Qu'ainsi que de ta vie il y va de ta gloire,
Et que dans quelque éclat que Rodrigue ait vécu,
Quand on le saura mort, on le croira vaincu.
Ton honneur t'est plus cher que je ne te suis chère,
Puisqu'il trempe tes mains dans le sang de mon père,
Et te fait renoncer, malgré ta passion,
À l'espoir le plus doux de ma possession[3] :
Je t'en vois cependant faire si peu de conte
Que sans rendre combat[4] tu veux qu'on te surmonte.
Quelle inégalité[5] ravale ta vertu[6] ?
Pourquoi ne l'as-tu plus, ou pourquoi l'avais-tu ?
Quoi ? n'es-tu généreux que pour me faire outrage ?
S'il ne faut m'offenser, n'as-tu point de courage ?
Et traites-tu mon père avec tant de rigueur,
Qu'après l'avoir vaincu tu souffres un vainqueur ?
Va, sans vouloir mourir, laisse-moi te poursuivre,
Et défends ton honneur, si tu ne veux plus vivre.

DON RODRIGUE
Après la mort du Comte, et les Mores défaits,
Faudrait-il à ma gloire encor d'autres effets[7] ?

Notes

1. **estomac ouvert :** poitrine nue.
2. **à qui :** devant celui qui.
3. **à l'espoir [...] possession :** à l'espoir le plus doux pour toi, celui de me posséder.
4. **rendre combat :** livrer combat.
5. **inégalité :** inconstance de caractère.
6. **ravale ta vertu :** abat ton courage.
7. **effets :** preuves.

1525 Elle peut dédaigner le soin de me défendre :
On sait que mon courage ose tout entreprendre,
Que ma valeur peut tout, et que dessous les cieux,
Auprès de[1] mon honneur, rien ne m'est précieux.
Non, non, en ce combat, quoi que vous veuilliez croire,
1530 Rodrigue peut mourir sans hasarder sa gloire,
Sans qu'on l'ose accuser d'avoir manqué de cœur,
Sans passer pour vaincu, sans souffrir un vainqueur.
On dira seulement : « Il adorait Chimène ;
Il n'a pas voulu vivre et mériter sa haine ;
1535 Il a cédé lui-même à la rigueur du sort
Qui forçait sa maîtresse à poursuivre sa mort :
Elle voulait sa tête : et son cœur magnanime,
S'il l'en eût refusée[2], eût pensé faire un crime.
Pour venger son honneur il perdit son amour,
1540 Pour venger sa maîtresse[3] il a quitté le jour,
Préférant, quelque espoir qu'eût son âme asservie,
Son honneur à Chimène, et Chimène à sa vie. »
Ainsi donc vous verrez ma mort en ce combat,
Loin d'obscurcir ma gloire, en rehausser l'éclat ;
1545 Et cet honneur suivra mon trépas volontaire,
Que[4] tout autre que moi n'eût pu vous satisfaire.

CHIMÈNE
Puisque, pour t'empêcher de courir au trépas,
Ta vie et ton honneur sont de faibles appas,
Si jamais je t'aimai, cher Rodrigue, en revanche[5],
1550 Défends-toi maintenant pour m'ôter à don Sanche ;
Combats pour m'affranchir d'une condition
Qui me donne à l'objet de mon aversion[6].

notes
1. auprès de : en comparaison de.
2. s'il l'en eût refusée : s'il la lui avait refusée.
3. pour venger sa maîtresse : pour que sa bien-aimée soit vengée.
4. que : se rapporte à « cet honneur » ; à savoir que.
5. en revanche : en retour.
6. l'objet de mon aversion : Don Sanche.

Te dirai-je encor plus ? va, songe à ta défense,
Pour forcer mon devoir[1], pour m'imposer silence ;
55 Et si tu sens pour moi ton cœur encore épris,
Sors vainqueur d'un combat dont Chimène est le prix.
Adieu : ce mot lâché me fait rougir de honte.

DON RODRIGUE

Est-il quelque ennemi qu'à présent je ne dompte ?
Paraissez, Navarrais, Mores et Castillans,
60 Et tout ce que l'Espagne a nourri de vaillants ;
Unissez-vous ensemble, et faites une armée,
Pour combattre une main de la sorte animée :
Joignez tous vos efforts contre un espoir si doux ;
Pour en venir à bout, c'est trop peu que de vous[2].

Scène 2   L'INFANTE

(Chez l'Infante.)

65 T'écouterai-je encor, respect de ma naissance[3],
     Qui fais un crime de mes feux ?
T'écouterai-je, amour dont la douce puissance
Contre ce fier tyran[4] fait révolter mes vœux[5] ?
     Pauvre princesse, auquel des deux
70   Dois-tu prêter obéissance ?
Rodrigue, ta valeur te rend digne de moi ;
Mais pour être[6] vaillant, tu n'es pas fils de roi.

Impitoyable sort, dont la rigueur sépare
     Ma gloire d'avec mes désirs !

Notes

. **forcer mon devoir** : faire céder ma volonté
l'accomplir mon devoir.
. **c'est [...] de vous** : vous n'êtes pas en
ombre suffisant.

3. **de ma naissance** : dû à mon sang royal.
4. **ce fier tyran** : le respect de sa naissance.
5. **révolter mes vœux** : résister mes désirs.
6. **pour être** : bien que tu sois.

1575 Est-il dit que le choix d'une vertu si rare
Coûte à ma passion de si grands déplaisirs ?
Ô cieux ! à combien de soupirs
Faut-il que mon cœur se prépare,
Si jamais il n'obtient sur[1] un si long tourment
1580 Ni d'éteindre l'amour, ni d'accepter l'amant !

Mais c'est trop de scrupule, et ma raison s'étonne
Du mépris d'un si digne choix[2] :
Bien qu'aux monarques seuls ma naissance me donne,
Rodrigue, avec honneur je vivrai sous tes lois.
1585 Après avoir vaincu deux rois,
Pourrais-tu manquer de couronne ?
Et ce grand nom de Cid que tu viens de gagner
Ne fait-il pas trop voir sur qui tu dois régner ?

Il est digne de moi, mais il est à Chimène ;
1590 Le don que j'en ai fait me nuit.
Entre eux la mort d'un père a si peu mis de haine,
Que le devoir du sang[3] à regret le poursuit :
Ainsi n'espérons aucun fruit
De son crime, ni de ma peine,
1595 Puisque pour me punir le destin a permis
Que l'amour dure même entre deux ennemis.

Scène 3   L'Infante, Léonor

L'Infante
Où viens-tu, Léonor ?

notes
1. **sur** : en l'emportant sur.
2. **du mépris [...] choix** : de me voir mépriser un choix aussi digne.
3. **le devoir du sang** : l'obligation pour Chimène de venger son père.

LÉONOR

                    Vous applaudir, Madame,
Sur le repos qu'enfin a retrouvé votre âme.

L'INFANTE
D'où viendrait ce repos dans un comble d'ennui ?

LÉONOR
Si l'amour vit d'espoir, et s'il meurt avec lui,
Rodrigue ne peut plus charmer votre courage[1].
Vous savez le combat où Chimène l'engage :
Puisqu'il faut qu'il y meure, ou qu'il soit son mari,
Votre espérance est morte et votre esprit guéri.

L'INFANTE
Ah ! qu'il s'en faut encor[2] !

LÉONOR

                    Que pouvez-vous prétendre ?

L'INFANTE
Mais plutôt quel espoir me pourrais-tu défendre ?
Si Rodrigue combat sous ces conditions,
Pour en rompre l'effet[3], j'ai trop d'inventions[4].
L'amour, ce doux auteur de mes cruels supplices,
Aux esprits des amants apprend trop d'artifices.

LÉONOR
Pourrez-vous quelque chose, après qu'un père mort
N'a pu dans leurs esprits allumer de discord ?
Car Chimène aisément montre par sa conduite
Que la haine aujourd'hui ne fait pas[5] sa poursuite.
Elle obtient un combat, et pour son combattant
C'est le premier offert[6] qu'elle accepte à l'instant :

Elle n'a point recours à ces mains généreuses
Que tant d'exploits fameux rendent si glorieuses ;
Don Sanche lui suffit, et mérite son choix,
1620 Parce qu'il va s'armer pour la première fois.
Elle aime en ce duel son peu d'expérience ;
Comme il est sans renom, elle est sans défiance ;
Et sa facilité[1] vous doit bien faire voir
Qu'elle cherche un combat qui force son devoir,
1625 Qui livre à son Rodrigue une victoire aisée,
Et l'autorise enfin à paraître apaisée.

L'INFANTE
Je le remarque assez, et toutefois mon cœur
À l'envi de[2] Chimène adore ce vainqueur.
À quoi me résoudrai-je, amante infortunée ?

LÉONOR
1630 À vous mieux souvenir de qui vous êtes née :
Le ciel vous doit un roi, vous aimez un sujet !

L'INFANTE
Mon inclination a bien changé d'objet.
Je n'aime plus Rodrigue, un simple gentilhomme ;
Non, ce n'est plus ainsi que mon amour le nomme :
1635 Si j'aime, c'est l'auteur de tant de beaux exploits,
C'est le valeureux Cid, le maître de deux rois.
Je me vaincrai pourtant, non de peur d'aucun blâme,
Mais pour ne troubler pas une si belle flamme ;
Et quand pour m'obliger[3] on l'aurait couronné,
1640 Je ne veux point reprendre un bien que j'ai donné,
Puisqu'en un tel combat sa victoire est certaine,
Allons encore un coup le donner à Chimène.

notes

1. **sa facilité :** la rapidité de son choix.
2. **à l'envi de :** en rivalité avec.
3. **quand pour m'obliger :** même si pour m'être agréable.

Et toi, qui vois les traits dont mon cœur est percé,
Viens me voir achever comme j'ai commencé.

Scène 4   CHIMÈNE, ELVIRE

(Chez Chimène.)

CHIMÈNE

45 Elvire, que je souffre, et que je suis à plaindre !
Je ne sais qu'espérer, et je vois tout à craindre ;
Aucun vœu ne m'échappe où[1] j'ose consentir ;
Je ne souhaite rien sans un prompt repentir.
À deux rivaux pour moi je fais prendre les armes :
50 Le plus heureux succès me coûtera des larmes ;
Et quoi qu'en ma faveur en ordonne le sort,
Mon père est sans vengeance, ou mon amant est mort.

ELVIRE

D'un et d'autre côté je vous vois soulagée :
Ou vous avez Rodrigue, ou vous êtes vengée ;
55 Et quoi que le destin puisse ordonner de vous,
Il soutient votre gloire, et vous donne un époux.

CHIMÈNE

Quoi ! l'objet de ma haine ou de tant de colère !
L'assassin de Rodrigue ou celui de mon père !
De tous les deux côtés on me donne un mari
60 Encor tout teint du sang que j'ai le plus chéri ;
De tous les deux côtés mon âme se rebelle :
Je crains plus que la mort la fin de ma querelle[2] :
Allez, vengeance, amour, qui troublez mes esprits,

Notes

1. où : auquel. | 2. querelle : plainte en justice.

Vous n'avez point pour moi de douceurs à ce prix ;
1665 Et toi, puissant moteur du destin[1] qui m'outrage,
Termine ce combat sans aucun avantage[2],
Sans faire aucun des deux ni vaincu ni vainqueur.

ELVIRE
Ce serait vous traiter avec trop de rigueur.
Ce combat pour votre âme est un nouveau supplice,
1670 S'il vous laisse obligée à demander justice,
À témoigner toujours ce haut ressentiment,
Et poursuivre toujours la mort de votre amant.
Madame, il vaut bien mieux que sa rare vaillance,
Lui couronnant le front, vous impose silence ;
1675 Que la loi du combat étouffe vos soupirs,
Et que le Roi vous force à suivre vos désirs.

CHIMÈNE
Quand il sera vainqueur, crois-tu que je me rende ?
Mon devoir est trop fort, et ma perte trop grande ;
Et ce n'est pas assez pour leur[3] faire la loi[4]
1680 Que celle du combat et le vouloir[5] du Roi.
Il peut vaincre don Sanche avec fort peu de peine,
Mais non pas avec lui la gloire de Chimène ;
Et quoi qu'à sa victoire un monarque ait promis,
Mon honneur lui fera mille autres ennemis.

ELVIRE
1685 Gardez[6], pour vous punir de cet orgueil étrange,
Que le ciel à la fin ne souffre qu'on vous venge.
Quoi ! vous voulez encor refuser le bonheur
De pouvoir maintenant vous taire avec honneur ?

notes ....

1. puissant moteur du destin : Dieu, la providence divine, qu'on évite par bienséance de nommer sur scène.
2. sans aucun avantage : sans donner l'avantage à quiconque.

3. leur : représente « *devoir* » et « *perte* ».
4. faire la loi : imposer silence.
5. vouloir : volonté.
6. Gardez : prenez garde.

Que prétend ce devoir, et qu'est-ce qu'il espère ?
La mort de votre amant vous rendra-t-elle un père ?
Est-ce trop peu pour vous que d'un coup de malheur[1] ?
Faut-il perte sur perte, et douleur sur douleur ?
Allez, dans le caprice[2] où votre humeur s'obstine,
Vous ne méritez pas l'amant qu'on vous destine ;
Et nous verrons du ciel l'équitable courroux
Vous laisser, par sa mort, don Sanche pour époux.

CHIMÈNE
Elvire, c'est assez des peines que j'endure,
Ne les redouble point de ce funeste augure[3].
Je veux, si je le puis, les éviter tous deux ;
Sinon, en ce combat Rodrigue a tous mes vœux :
Non qu'une folle ardeur de son côté me penche[4] ;
Mais s'il était vaincu, je serais à don Sanche ;
Cette appréhension fait naître mon souhait.
Que vois-je, malheureuse ? Elvire, c'en est fait.

Scène 5 DON SANCHE, CHIMÈNE, ELVIRE

DON SANCHE
Obligé d'apporter à vos pieds cette épée...

CHIMÈNE
Quoi ? du sang de Rodrigue encor toute trempée ?
Perfide, oses-tu bien te montrer à mes yeux,
Après m'avoir ôté ce que j'aimais le mieux ?
Éclate, mon amour, tu n'as plus rien à craindre :

---

otes

. que [...] malheur : qu'un seul coup du malheur.
. caprice : attitude déraisonnable.

3. augure : présage.
4. me penche : me fasse pencher.

1710 Mon père est satisfait, cesse de te contraindre.
Un même coup a mis ma gloire en sûreté,
Mon âme au désespoir, ma flamme en liberté.

DON SANCHE
D'un esprit plus rassis[1]...

CHIMÈNE
                    Tu me parles encore,
Exécrable assassin d'un héros que j'adore ?
1715 Va, tu l'as pris en traître ; un guerrier si vaillant
N'eût jamais succombé sous un tel assaillant.
N'espère rien de moi, tu ne m'as point servie :
En croyant me venger, tu m'as ôté la vie.

DON SANCHE
Étrange impression[2], qui loin de m'écouter...

CHIMÈNE
1720 Veux-tu que de sa mort je t'écoute vanter[3],
Que j'entende à loisir avec quelle insolence
Tu peindras son malheur, mon crime et ta vaillance ?

Scène 6

DON FERNAND, DON DIÈGUE,
DON ARIAS, DON SANCHE,
DON ALONSE, CHIMÈNE, ELVIRE

(Chez le Roi.)

CHIMÈNE
Sire, il n'est plus besoin de vous dissimuler
Ce que tous mes efforts ne vous ont pu celer[4].
1725 J'aimais, vous l'avez su ; mais pour venger mon père,

notes

1. **rassis** : calme.
2. **impression** : réaction.

3. **vanter** : te vanter.
4. **celer** : cacher.

J'ai bien voulu proscrire[1] une tête si chère :
Votre Majesté, Sire, elle-même a pu voir
Comme j'ai fait céder mon amour au devoir.
Enfin Rodrigue est mort, et sa mort m'a changée
30   D'implacable ennemie en amante affligée.
J'ai dû cette vengeance à qui m'a mise au jour,
Et je dois maintenant ces pleurs à mon amour.
Don Sanche m'a perdue en prenant ma défense,
Et du bras qui me perd je suis la récompense !
35   Sire, si la pitié peut émouvoir un roi,
De grâce, révoquez une si dure loi ;
Pour prix d'une victoire où je perds ce que j'aime,
Je lui laisse mon bien ; qu'il me laisse à moi-même ;
Qu'en un cloître sacré[2] je pleure incessamment[3],
40   Jusqu'au dernier soupir, mon père et mon amant.

DON DIÈGUE

Enfin, elle aime, Sire, et ne croit plus un crime
D'avouer par sa bouche un amour légitime.

DON FERNAND

Chimène, sors d'erreur, ton amant n'est pas mort,
Et don Sanche vaincu t'a fait un faux rapport.

DON SANCHE

45   Sire, un peu trop d'ardeur malgré moi l'a déçue :
Je venais du combat lui raconter l'issue.
Ce généreux guerrier dont son cœur est charmé :
« Ne crains rien, m'a-t-il dit, quand il m'a désarmé ;
Je laisserais plutôt la victoire incertaine,
50   Que de répandre un sang hasardé[4] pour Chimène ;

---

otes

. **proscrire** : mettre à prix.
. **cloître sacré** : couvent.

3. incessamment : sans cesse.
4. hasardé : risqué.

Mais puisque mon devoir m'appelle auprès du Roi,
Va de notre combat l'entretenir pour moi,
De la part du vainqueur lui porter ton épée. »
Sire, j'y suis venu : cet objet l'a trompée ;
1755 Elle m'a cru vainqueur, me voyant de retour,
Et soudain sa colère a trahi son amour
Avec tant de transport et tant d'impatience,
Que je n'ai pu gagner un moment d'audience[1].
Pour moi, bien que vaincu, je me répute[2] heureux ;
1760 Et malgré l'intérêt de mon cœur amoureux,
Perdant infiniment, j'aime encor ma défaite,
Qui fait le beau succès[3] d'une amour[4] si parfaite.

DON FERNAND
Ma fille, il ne faut point rougir d'un si beau feu,
Ni chercher les moyens d'en faire un désaveu[5].
1765 Une louable honte en vain t'en sollicite.
Ta gloire est dégagée[6] et ton honneur est quitte ;
Ton père est satisfait, et c'était le venger
Que mettre tant de fois ton Rodrigue en danger.
Tu vois comme le ciel autrement en dispose.
1770 Ayant tant fait pour lui[7], fais pour toi quelque chose,
Et ne sois point rebelle à mon commandement,
Qui te donne un époux aimé si chèrement.

notes

1. **audience :** attention.
2. **me répute :** m'estime.
3. **beau succès :** issue heureuse.
4. **une amour :** un amour (féminin admis au xviie siècle).
5. **faire un désaveu :** nier.
6. **dégagée :** libérée de ses obligations.
7. **lui :** ton père.

cène 7

DON FERNAND, DON DIÈGUE,
DON ARIAS, DON RODRIGUE,
DON ALONSE, DON SANCHE, L'INFANTE,
CHIMÈNE, LÉONOR, ELVIRE

L'INFANTE
Sèche tes pleurs, Chimène, et reçois sans tristesse
Ce généreux vainqueur des mains de ta princesse.

DON RODRIGUE
5 Ne vous offensez point, Sire, si devant vous
Un respect amoureux me jette à ses genoux.
Je ne viens point ici demander ma conquête :
Je viens tout de nouveau vous apporter ma tête,
Madame ; mon amour n'emploiera point pour moi
80 Ni la loi du combat, ni le vouloir du Roi.
Si tout ce qui s'est fait est trop peu pour un père,
Dites par quels moyens il vous faut satisfaire.
Faut-il combattre encor mille et mille rivaux,
Aux deux bouts de la terre étendre mes travaux,
85 Forcer moi seul un camp, mettre en fuite une armée,
Des héros fabuleux[1] passer la renommée ?
Si mon crime par là se peut enfin laver,
J'ose tout entreprendre, et puis tout achever ;
Mais si ce fier honneur, toujours inexorable,
90 Ne se peut apaiser sans la mort du coupable,
N'armez plus contre moi le pouvoir des humains :
Ma tête est à vos pieds, vengez-vous par vos mains ;
Vos mains seules ont droit de vaincre un invincible ;
Prenez une vengeance à tout autre impossible,
95 Mais du moins que ma mort suffise à me punir :
Ne me bannissez point de votre souvenir ;

Note

1. **fabuleux** : de la mythologie.

Et puisque mon trépas conserve votre gloire,
Pour vous en revancher[1] conservez ma mémoire,
Et dites quelquefois, en déplorant mon sort :
1800 « S'il ne m'avait aimée, il ne serait pas mort. »

CHIMÈNE

Relève-toi, Rodrigue. Il faut l'avouer, Sire,
Je vous en ai trop dit pour m'en pouvoir dédire.
Rodrigue a des vertus que je ne puis haïr ;
Et quand un roi commande, on lui doit obéir.
1805 Mais à quoi que déjà vous m'ayez condamnée[2],
Pourrez-vous à vos yeux souffrir cet hyménée ?
Et quand de mon devoir vous voulez cet effort,
Toute votre justice en[3] est-elle d'accord ?
Si Rodrigue à l'État devient si nécessaire,
1810 De ce qu'il fait pour vous dois-je être le salaire,
Et me livrer moi-même au reproche éternel
D'avoir trempé mes mains dans le sang paternel ?

DON FERNAND

Le temps assez souvent a rendu légitime
Ce qui semblait d'abord ne se pouvoir sans crime :
1815 Rodrigue t'a gagnée, et tu dois être à lui.
Mais quoique sa valeur t'ait conquise aujourd'hui,
Il faudrait que je fusse ennemi de ta gloire
Pour lui donner sitôt le prix de sa victoire.
Cet hymen différé ne rompt point une loi
1820 Qui sans marquer de temps lui destine ta foi[4].
Prends un an, si tu veux, pour essuyer tes larmes.
Rodrigue, cependant[5], il faut prendre les armes.
Après avoir vaincu les Mores sur nos bords,

notes

1. **pour vous en revancher** : en compensation de ma mort.
2. **à quoi [...] condamnée** : quelle que soit la loi que vous m'avez imposée.
3. **en** : sur cela.
4. **lui destine ta foi** : te donne à lui en mariage.
5. **cependant** : en attendant.

Renversé leurs desseins, repoussé leurs efforts,
25 Va jusqu'en leur pays leur reporter la guerre,
Commander mon armée, et ravager leur terre :
À ce nom seul de Cid ils trembleront d'effroi ;
Ils t'ont nommé seigneur, et te voudront pour roi.
Mais parmi tes hauts faits sois-lui[1] toujours fidèle :
30 Reviens-en, s'il se peut, encor plus digne d'elle ;
Et par tes grands exploits fais-toi si bien priser[2],
Qu'il lui soit glorieux alors de t'épouser.

DON RODRIGUE
Pour posséder Chimène, et pour votre service,
Que peut-on m'ordonner que mon bras n'accomplisse ?
35 Quoi qu'absent[3] de ses yeux il me faille endurer,
Sire, ce m'est trop d'heur de pouvoir espérer.

DON FERNAND
Espère en ton courage, espère en ma promesse ;
Et possédant déjà le cœur de ta maîtresse,
Pour vaincre un point d'honneur qui combat contre toi,
40 Laisse faire le temps, ta vaillance et ton roi.

---

otes

1. lui : à Chimène.   3. absent : éloigné.
2. priser : estimer.

169

Le Cid :
bilan de première lecture

❶ Où et quand commence l'action de la pièce ? Combien de temps dure-t-elle ? Dans quels lieux se déroule-t-elle ?

❷ Quelle est la situation des personnages principaux dans la première scène ? Quels liens les unissent ?

❸ Pourquoi l'Infante n'a-t-elle pas le droit d'aimer Rodrigue ? Quel rôle joue-t-elle dans la pièce ?

❹ Quel événement vient compromettre les projets de Rodrigue et Chimène ? En quoi est-il particulièrement grave ?

❺ À quel dilemme* Rodrigue doit-il faire face ? Quelle est sa décision finale ?

❻ En quoi son défi au Comte est-il héroïque ? Quelle est l'issue du combat ?

❼ Quels arguments le roi oppose-t-il au duel ?

❽ Quels sont les rôles et les positions des différentes parties du procès qui commence à la fin de l'acte II ? Quel est son enjeu ?

❾ Pourquoi Rodrigue veut-il mourir ?

❿ Pourquoi Chimène refuse-t-elle de tuer Rodrigue ?

⓫ Quel effet produit le récit du combat contre les Maures sur les spectateurs ?

⓬ En quoi l'issue de ce combat change-t-elle le statut de Rodrigue ?

⓭ Pourquoi le roi accepte-t-il le duel de Rodrigue et Don Sanche ?

⓮ Quelles sont les intentions et les conséquences du subterfuge du roi à la scène 5 de l'acte IV ?

⓯ Pourquoi Chimène et Rodrigue ne peuvent-ils s'épouser tout de suite ?

⓰ En quoi peut-on dire que *Le Cid* est une tragi-comédie ?

* Cf. Lexique.

Dossier

Bibliolycée

Corneille, auteur emblématique du Grand Siècle

Corneille est sans conteste un des auteurs marquants du XVIIe siècle : il a vécu 78 ans et a produit des œuvres pendant un peu plus d'un demi-siècle, sous l'autorité de quelques-uns des plus grands ministres que notre histoire ait connus, tels Richelieu, Mazarin ou Fouquet.

Une enfance placée sous d'excellents auspices

Pierre Corneille naît à Rouen le 6 juin 1606, dans une maison de la rue de la Pie, devenue depuis musée Corneille. Il est l'aîné de six enfants : cinq frères (parmi lesquels Thomas, qui sera aussi un auteur dramatique) et une sœur. Son père est maître des Eaux et Forêts et sa mère fille d'avocat.

Il entre à 9 ans au collège des jésuites où lui sera dispensé un enseignement fondé sur la théologie, la philosophie et le latin, discipline dans laquelle il se montre particulièrement brillant.

Le jeune homme s'éprend durant ses études de Catherine Hue, qui lui inspire ses premiers vers (*Mélanges poétiques* en 1625 et *Excuse à Ariste* en 1637), mais il ne peut l'épouser, faute de fortune. En 1624, il obtient sa licence en droit et devient avocat stagiaire au parlement de Rouen mais on raconte qu'il n'a plaidé qu'une fois. La littérature occupe déjà toutes ses pensées : il fréquente les bibliothèques, les théâtres, d'autant que Rouen est alors la deuxième ville du royaume et que s'y tiennent des salons mondains et littéraires propices aux rencontres.

Les débuts de l'ascension

En 1628, son père lui achète deux charges d'avocat du roi : l'une au siège des Eaux et Forêts et l'autre à l'Amirauté de France. Il s'agit de fonctions purement administratives qui assurent à Corneille des revenus modestes. Parallèlement, Corneille s'engage dans une carrière d'auteur dramatique. En 1629, il propose une comédie, intitulée *Mélite,* à la troupe itinérante de Mondory (future troupe du Marais). La pièce, jouée à Paris, connaît un succès immédiat et prodigieux.

De 1629 à 1636, Corneille ne va plus cesser d'écrire, goûtant à tous les genres : la tragi-comédie avec *Clitandre ou l'Innocence délivrée* en 1631, les comédies avec *La Galerie du Palais* en 1632 et *La Veuve* et *La Place royale* en 1634, la tragédie enfin avec *Médée* en 1635, et un peu tous les genres avec son œuvre baroque* *L'Illusion comique* (sa première pièce d'inspiration espagnole, « *étrange monstre* » selon ses propres termes) en 1636.

En 1633, la comédie *La Suivante* est présentée à Louis XIII de passage à Rouen. Corneille compose alors en son honneur un éloge en vers latins *(Excusatio)*. Le journal de Renaudot, la *Gazette*, mentionne pour la première fois son nom et le cardinal de Richelieu commence à s'intéresser à lui. Deux ans plus tard, Corneille forme avec quatre autres auteurs dramatiques la Société des cinq auteurs chargée par Richelieu d'écrire des pièces dont ce dernier imaginerait le scénario, comme *La Comédie des Tuileries* (1635).

* *Cf.* Lexique.

Auteur désormais reconnu et en vogue, il reçoit une pension de 1 500 livres, qui lui sera versée jusqu'en 1643. La gloire rejaillit sur sa famille, puisque Richelieu anoblira le père de Corneille en 1637.

Le succès et ses revers : la querelle du Cid

Au début de janvier 1637, Corneille présente sa tragi-comédie *Le Cid* qui va marquer un tournant dans sa carrière et sa vie. La pièce triomphe à Paris mais déclenche bien vite des débats et des contestations. La polémique enfle à la fin de l'année. Richelieu émet quelques réserves devant une pièce montrant les mérites de l'Espagne, alors ennemie de la France. La présence des trois duels pose aussi problème au cardinal qui vient d'en interdire l'usage en France. Mais la querelle est avant tout littéraire. Des auteurs concurrents, comme Mairet et Scudéry, y cherchent les failles et notamment la manière dont les règles* de la tragédie classique y sont quelque peu malmenées. En deux ans, quantité de textes sont publiés pour attaquer *Le Cid*, et seule l'intervention de Richelieu met un terme à cette querelle. Corneille en sort meurtri et ne propose aucune pièce entre 1637 et 1640. Par ailleurs, d'autres soucis l'accablent : son père meurt en 1639 et il est nommé tuteur de son frère Thomas et de sa sœur Marthe.

Un auteur prolifique

À partir de 1640, Corneille reprend le chemin de l'écriture et rentre, après les reproches que lui a attirés *Le Cid*, davantage dans les rangs du classicisme, notamment avec sa première tragédie romaine *Horace* (1641), qui connaît un immense succès, puis avec *Cinna* (1642).

* Cf. Lexique.

En 1641, grâce à l'intervention de Richelieu, Corneille épouse Marie de Lempérière, avec qui il aura sept enfants. Il rentre à nouveau en grâce (Mazarin, ministre du roi, lui demande même de composer des textes à la gloire du roi) et se présente à l'Académie française en 1644, mais il n'est pas élu. Il enchaîne les pièces et les triomphes dans tous les genres : *Polyeucte* (tragédie chrétienne) et *La Mort de Pompée* en 1643, *Le Menteur* (comédie) en 1644, *Rodogune* en 1645 et *Héraclius* en 1647. Cette période prolifique est couronnée par sa réception à l'Académie française le 22 janvier 1647.

L'année 1650 est aussi pour Corneille une année faste : il collabore à *Andromède*, tragédie à musique qui lui apporte une subvention considérable, et les événements politiques lui sont favorables. En effet, avec la Fronde qui voit la noblesse se révolter contre le pouvoir royal, Corneille est nommé procureur des États de Normandie, en remplacement d'un ennemi de Mazarin. Il abandonne alors ses charges d'avocat.

Cette gloire n'est malheureusement qu'éphémère : l'année suivante, en février, la tragédie *Nicomède* déplaît à Mazarin qui y voit l'éloge de Condé et décide de retirer à Corneille sa charge de procureur. Celui-ci se retrouve privé de revenus. Corneille interrompt à nouveau sa production dramatique* et se consacre à la traduction en vers français d'un texte latin, *L'Imitation de Jésus-Christ*, dont les quatre volumes ne seront publiés qu'en mars 1656.

Un nouveau tournant

Thomas Corneille, son jeune frère, connaît le succès au théâtre avec *Timocrate* en 1656, tandis que Pierre ne se consacre qu'à des vers de circonstance. En rencontrant la comédienne de la troupe de Molière, la Du Parc (1633-1668), il s'essaie cependant aux vers galants (*Stances* à Marquise, 1660). Il faudra attendre

* *Cf.* Lexique.

une faveur du surintendant des Finances Fouquet pour que Corneille revienne au théâtre en 1659, avec la tragédie *Œdipe*, qui est un succès. Le roi lui-même gratifie Corneille, et l'auteur compose, en 1661, *La Toison d'or* en l'honneur du mariage de Louis XIV avec l'infante d'Espagne.

C'est un nouveau tournant qui s'amorce pour le dramaturge* : une nouvelle édition de ses *Œuvres* est publiée, avec des *Examens* de chaque pièce et des *Discours* qui exposent sa conception de l'art dramatique*. Ces discours sont une réponse à peine voilée à son ennemi de toujours, l'abbé d'Aubignac, qui a publié *La Pratique du théâtre* en 1657.

Fouquet est arrêté pour détournement de fonds, mais Corneille trouve un nouveau mécène en la personne du duc de Guise, au domicile parisien duquel il s'installe en 1662. Il connaît à nouveau le succès avec sa tragédie *Sertorius* et entre en concurrence avec Molière, tandis que ses partisans le surnomment « le prince des auteurs ».

L'inéluctable déclin

Au décès du duc de Guise, Corneille perd son protecteur. En même temps, le succès d'un jeune auteur, Racine, lui fait de l'ombre. Tandis que ses dernières tragédies *(Othon, Agésilas, Attila)* ne recueillent qu'un pénible succès d'estime, Racine triomphe avec *Andromaque* ; quand l'aîné présente presque dans l'indifférence *Tite et Bérénice*, le jeune dramaturge ravit le public avec sa version de *Bérénice*. Même le succès de la comédie-ballet *Psyché*, créée avec Molière, ne parvient pas à effacer l'ascension de Racine et à enrayer le déclin de Corneille. Sa dernière tragédie *Suréna* (1674) est sans effet face à l'*Iphigénie* de Racine. Corneille se retire définitivement du monde du théâtre, n'exerçant guère sa plume désormais que pour des vers de circonstance, comme ceux célébrant le mariage du Dauphin

* *Cf.* Lexique.

en 1680. En hommage, le roi fait jouer ses principales pièces à Versailles et l'intégralité de son théâtre est à nouveau éditée en 1682.

Corneille meurt à Paris le 1er octobre 1684. Son frère Thomas est élu à sa place à l'Académie française, et, à l'occasion de sa réception, Racine prononce un discours des plus élogieux à l'égard de son ancien rival.

**Pierre Corneille,
portrait gravé par Thomas Woolnoth (1785-1857).**

La France entre 1606 et 1684

La vie de Pierre Corneille (1606-1684), qui naît 8 ans après la fin des guerres de Religion et 4 ans avant l'assassinat d'Henri IV, se confond avec une grande partie du XVIIe siècle dont il traverse les différents règnes.

Louis XIII et Richelieu : le renforcement du pouvoir royal

Les problèmes politiques évoqués dans les premières tragédies de Corneille sont en relation avec ceux de l'État monarchique de Louis XIII et de Richelieu, ministre de 1624 à 1642, dont la tâche essentielle est de renforcer le pouvoir royal contre l'opposition nobiliaire. La vie politique intérieure de la France est alors ponctuée par les révoltes des protestants, des nobles, des corps d'officiers, et par les soulèvements populaires dans les villes et les campagnes contre des pressions fiscales trop lourdes. La répression du pouvoir est redoutable et les sanctions sévères. La misère paysanne est renforcée par les famines et les épidémies. À l'extérieur, Richelieu tente de maintenir un équilibre européen difficile mais, en 1635, il déclare la guerre à l'Espagne et, l'année suivante, les Français reprennent Corbie (dans la Somme) tombée entre les mains des Espagnols.

Le renouveau du théâtre sous Richelieu

Au début du siècle, les troupes de comédiens ambulantes étaient souvent médiocres et de mauvaise réputation. Mais, dès 1629, Richelieu, qui veut asseoir le pouvoir royal en offrant un divertissement de qualité à la noblesse, donne une impulsion au théâtre : il fonde et pensionne la Société des cinq auteurs (Corneille, Rotrou, Boisrobert, Colletet, L'Estoile). Le statut de dramaturge* et celui de comédien s'améliorent. Les « Comédiens du roi » s'installent à l'Hôtel de Bourgogne et le théâtre du Marais est créé. La bonne société retourne au théâtre. De jeunes dramaturges, dont Corneille, Mairet, Rotrou et Scudéry, y donnent de nombreuses tragédies. *Le Cid* impose Corneille comme le meilleur dramaturge des années 1640.

L'Académie française

Les comédiens sont très contrôlés par l'Académie française, créée en 1634 par Richelieu qui confie à ce groupe d'érudits la mission de codifier la langue française et de diffuser les œuvres des écrivains. Le texte fondateur de l'Académie française – les *Lettres patentes* (rédigées par Conrart) – établit un lien entre l'art et la morale, instituant la règle* de bienséance. Le grammairien Vaugelas illustre ce souci de régler la langue selon le « bon goût » dans ses *Remarques sur la langue française* (1647). Les règles de la *Poétique* d'Aristote, mises au goût du jour par les théoriciens et l'Académie, sont utilisées pour imposer la vraisemblance et le respect des unités, afin que la production théâtrale soit moralement et politiquement conforme aux exigences de la monarchie.

La représentation au XVIIe siècle

Les théâtres sont peu nombreux à Paris. Les salles forment de grands rectangles « à la française » ou bien s'arrondissent peu à peu, « à l'italienne », permettant autant de voir un spectacle que de croiser le regard des autres spectateurs. L'espace de jeu est restreint car la scène est encombrée par les bancs des spectateurs, la salle est toujours éclairée et le public souvent bruyant. La mode italienne développe le goût des décors

* *Cf.* Lexique.

pompeux. Les comédiens tragiques arborent des costumes fastueux et leurs gestes et leur élocution s'apparentent à ceux de l'art oratoire ecclésiastique : la prononciation des alexandrins comme une sorte de mélopée donne à la représentation la forme d'une cérémonie.

Mazarin et la Fronde

Après la mort de Richelieu en 1642, puis celle de Louis XIII un an plus tard, Mazarin devient ministre de la régente Anne d'Autriche. Il met un terme à la guerre contre l'Autriche avec le traité de Westphalie (1648) et contre l'Espagne avec le traité des Pyrénées (1659), laissant à Louis XIV un royaume pacifié. Mais, comme il augmente aussi les impôts, le mécontentement s'amplifie jusqu'à l'éclatement de la Fronde, véritable guerre civile menée contre le pouvoir royal par le Parlement (Fronde parlementaire en 1648-1649) et par les princes de Condé, Conti, Longueville et le Cardinal de Retz (Fronde des princes en 1651-1652). Le jeune roi doit quitter Paris quelque temps pour Saint-Germain-en-Laye. Mais la Fronde échoue grâce à Mazarin qui restaure l'autorité royale.

La monarchie absolue de droit divin : la cour du Roi-Soleil

Après son sacre en 1654 et son mariage en 1660 avec l'infante Marie-Thérèse d'Espagne, Louis XIV entame un règne personnel à la mort de Mazarin en 1661. Excluant de son conseil les grands aristocrates, il ne garde à ses côtés que trois ministres de Mazarin. Le surintendant des Finances Fouquet, dont le succès le gêne, tombe en disgrâce, est emprisonné et remplacé par Colbert qui dirige jusqu'en 1683 l'activité économique du pays.

Il développe les manufactures, le commerce et l'industrie, et assure ainsi, pendant les douze années de paix du règne, l'équilibre du budget de l'État. Louis XIV inaugure un pouvoir personnel fort et devient monarque de droit divin : il concentre tous les pouvoirs entre ses mains et détourne les nobles de leurs domaines en les attirant à la cour de Versailles où lui-même s'installe en 1682, organisant un véritable culte de sa personne, celui du Roi-Soleil. Une étiquette scrupuleuse règle la vie de la Cour et permet au monarque de dompter la noblesse rebelle en récompensant sa soumission par des faveurs et des pensions, et en la divertissant par des bals, des spectacles et des jeux.

Le mécénat royal et la création artistique

Un rayonnement culturel considérable

Louis XIV entreprend de donner un essor aux arts et aux lettres en officialisant le protectorat des artistes instauré par Richelieu, afin de les encourager à célébrer le règne du monarque. Une période de rayonnement culturel considérable marque, dans les années 1660-1685, l'épanouissement du classicisme, caractérisé par son goût de la norme et de la mesure. Le roi et Colbert s'entourent de créateurs pour la construction du château de Versailles : architectes (Mansart) et peintres (Le Brun) pour les plans et la décoration du palais, paysagistes (Le Nôtre) pour les jardins, sculpteurs (Coysevox) et musiciens (Lulli, Couperin, Charpentier). La création littéraire foisonne : romans (*La Princesse de Clèves* de Mme de Lafayette), traités et poèmes de Boileau, *Fables* de La Fontaine, *Caractères* de La Bruyère et *Maximes* de La Rochefoucauld. Le théâtre règne sans conteste à travers les dernières tragédies de Corneille et les pièces de Molière et de Racine.

Passions et querelles littéraires

Le théâtre, qui présente de brillants chefs-d'œuvre à un public raffiné, est l'un des sujets de débat les plus passionnés de la Cour et des salons littéraires de ce siècle. En témoignent les cabales comme celles du *Cid* et de *Phèdre*. Théâtres et troupes rivales se partagent le public : le Marais où joue Corneille, l'Hôtel de Bourgogne où Racine présente ses pièces, le Palais-Royal que Molière partage avec les Comédiens-Italiens. *Le Mercure galant* de Donneau de Visé, journal de chroniques littéraires, diffuse les comptes rendus de parutions. La « querelle des Anciens et des Modernes », où l'on compare les mérites des œuvres modernes avec celles des Anciens, divisera auteurs et académiciens entre 1685 et 1715.

Les difficultés des écrivains et des comédiens

Si les gens de lettres, méprisés auparavant pour leur naissance médiocre par la noblesse féodale, sont plus appréciés grâce au mécénat du roi et à l'ascension d'une bourgeoisie cultivée, leur statut reste néanmoins précaire. La plupart, comptant faire carrière par leur seul art, sont dépendants du pouvoir. De plus, la fonction d'écrivain n'est toujours pas considérée comme digne d'un « honnête homme* ». Les comédiens, dont les mœurs sont réprouvées par l'Église, sont excommuniés et privés de sépulture religieuse. Pascal, Bossuet et les jansénistes dénoncent le théâtre comme une école du vice dangereuse qui donne à voir et imiter des comportements immoraux. Corneille, Molière et Racine défendent pourtant l'utilité morale du théâtre et Racine, pour cette raison, se brouilla avec ses maîtres jansénistes.

* *Cf.* Lexique.

Renforcement du catholicisme et intolérance religieuse

Le Roi Très Chrétien voit dans l'édit de Nantes signé par Henri IV (1598), qui avait donné un statut légal au protestantisme et mis fin aux guerres de Religion, une menace à la suprématie de la religion catholique qui légitime sa monarchie. Le roi s'attaque donc au protestantisme par une guerre sourde et, de 1666 à 1685, procède à une véritable épuration – destruction des temples protestants, arrêts interdisant aux réformés l'accès à certains corps de métiers – avant de révoquer l'édit de Nantes en 1685. Le roi combat aussi le jansénisme comme hérésie et fait raser l'abbaye de Port-Royal en 1710. À la fin de son règne, il impose la dévotion à la Cour avec l'aide de Mme de Maintenon devenue secrètement son épouse. Fondatrice de Saint-Cyr (1686), gardienne des bonnes mœurs et de la foi chrétienne, elle incite le roi à censurer des textes, comme la *Lettre à Louis XIV* où Fénelon critique les guerres. C'est à cette période que Racine compose *Esther* et *Athalie* pour les demoiselles de Saint-Cyr (jeunes filles nobles sans fortune)...

Guerres et famines

En politique extérieure, Louis XIV manifeste dès 1672, avec la guerre de Hollande, une constante ambition hégémonique qui conduit à un état de guerre permanent et va aboutir à la coalition d'une grande partie de l'Europe. Les guerres royales, notamment celle de Hollande (1672-1679), détruisent les efforts de Colbert et provoquent, dès 1673, la rupture de l'équilibre des finances publiques. D'autres guerres seront ruineuses et meurtrières : guerres de la ligue d'Augsbourg (1688-1697) et de la

Succession d'Espagne (1701-1714). Loin de la Cour, le peuple paysan subit les guerres et vit dans la misère. Des famines terribles s'abattent sur la France à la fin du règne de Louis XIV.

Corneille accueilli sur la scène du théâtre par le Grand Condé.

Corneille en son temps

	Vie et œuvre de Corneille	Événements historiques et culturels
1606	Naissance le 6 juin à Rouen.	
1607		Honoré d'Urfé, *L'Astrée*.
1610		Assassinat d'Henri IV et régence de Marie de Médicis.
1615	Études au collège des jésuites de Rouen (jusqu'en 1622).	
1617		Début du règne de Louis XIII.
1618		Début de la guerre de Trente Ans.
1624	Licence de droit.	Richelieu ministre.
1628	Son père lui achète deux charges d'avocat du roi.	Victoire de Richelieu sur les protestants à La Rochelle.
1629	Sa première comédie, *Mélite*, est jouée à Paris.	Richelieu est nommé « principal ministre ».
1631	*Clitandre* (tragi-comédie).	Renaudot fonde sa *Gazette*.
1632		Rembrandt, *La Leçon d'anatomie*.
1634	*La Veuve* (comédie).	Fondation de l'Académie française.
1635	*Médée* (tragédie).	Début de la guerre d'Espagne.
1636	*L'Illusion comique* (comédie).	
1637	*Le Cid* (tragi-comédie). Querelle du *Cid*. Anoblissement du père de Corneille.	Descartes, *Discours de la méthode*.
1638		Naissance de Louis XIV.
1639	Mort de son père. Devient le tuteur de son frère et de sa sœur.	Naissance de Racine.
1640		Mort de Rubens. Jansénius publie l'*Augustinus*.

	Vie et œuvre de Corneille	Événements historiques et culturels
1641	*Horace* (tragédie). **Mariage avec Marie de Lampérière.**	
1642	*Cinna* (tragédie). **Naissance de sa première fille, Marie.**	**Mort de Richelieu.**
1643	**Mazarin lui accorde une pension.** *Polyeucte* (tragédie). *Pompée* (tragédie)	**Mort de Louis XIII. Régence de Marie de Médicis. Mazarin au pouvoir.**
1644	*Le Menteur* (comédie). Échec à l'Académie française. Réunit en volumes les pièces antérieures au *Cid*.	
1647	Élection à l'Académie française après un deuxième échec en 1646.	Vaugelas, *Remarques sur la langue française*.
1648	Publication du tome II de ses *Œuvres*.	**Fin de la guerre de Trente Ans. Début de la Fronde.**
1650	**Nommé procureur des États de Normandie.** *Andromède* (tragédie).	
1651	**Remercié de sa fonction de procureur. Suppression de sa pension.** *Nicomède* (tragédie).	Exil de Mazarin.
1652		**Fin de la Fronde.**
1653	Renonce au théâtre.	**Retour de Mazarin.**
1656	**Naissance de son septième et dernier enfant, Thomas.**	Pascal, *Les Provinciales*. Thomas Corneille, *Timocrate*.
1659		Molière, *Les Précieuses ridicules*.
1660	*Discours sur le poème dramatique*. Édition de ses *Œuvres* (3 vol.) avec les *Discours* et les *Examens* des pièces.	**Mariage de Louis XIV et Marie-Thérèse.**
1661	**Installation à Paris.**	**Mort de Mazarin. Début du règne de Louis XIV.**

	Vie et œuvre de Corneille	Événements historiques et culturels
1662	Édition luxueuse de ses *Œuvres*.	Molière, *L'École des femmes*. Mort de Pascal. **Colbert est nommé ministre.**
1663	*Sophonisbe* (tragédie).	Querelle de *L'École des femmes*.
1664	*Othon* (tragédie).	Racine, *La Thébaïde*.
1666		Molière, *Le Misanthrope*.
1667	*Attila* (tragédie montée par Molière).	Racine, *Andromaque*.
1668		La Fontaine, *Fables*.
1670	*Tite et Bérénice* (tragédie héroïque en compétition avec la tragédie de Racine, qui aura plus de succès).	Pascal, *Pensées*. Bossuet, *Oraison funèbre d'Henriette d'Angleterre*. Racine, *Bérénice*.
1671	*Psyché* (comédie-ballet en collaboration avec Molière).	
1673		Mort de Molière.
1674	*Suréna* (tragédie passée inaperçue). Mort d'un fils à la guerre.	Boileau, *Art poétique*. Racine, *Iphigénie*.
1675	**Pension royale supprimée mais réconciliation avec Racine.**	
1677		Racine, *Phèdre*.
1678		Mme de Lafayette, *La Princesse de Clèves*.
1682		**La Cour s'installe à Versailles.**
1683		**Mariage de Louis XIV avec Mme de Maintenon.**
1684	Mort à Paris le 1er octobre.	
1685		Réception de Thomas Corneille à l'Académie française. Racine fait l'éloge de son défunt frère.

Structure de l'œuvre

La pièce obéit à un schéma dramatique* traditionnel reposant sur cinq étapes :
– l'exposition* ;
– le nœud* de l'action ;
– les péripéties* ;
– la résolution ;
– le dénouement*.

La lecture tabulaire permet de voir quels sont les personnages les plus présents et actifs aux différentes étapes :
– on voit, par exemple, que Rodrigue tarde à arriver au premier acte – ce qui laisse le temps aux personnages féminins d'exposer les intrigues* amoureuses et aux pères de se quereller ;
– Rodrigue à peine sur scène est immédiatement sollicité et donc entraîné dans l'action.
Les monologues* se distinguent aisément, de même que les duos ou les duels.
On voit aussi quelle place occupent les personnages masculins au plus fort de l'action et des péripéties*.

* Cf. Lexique.

Acte 1 : de l'amour à l'affront (350 vers)

PERSONNAGES	Sc. 1	Sc. 2	Sc. 3	Sc. 4	Sc. 5	Sc. 6	
Don Fernand							
Doña Urraque		64 v.					64 v.
Don Diègue			34 v.	24 v.	28 v.		86 v.
Don Gomès			52 v.				52 v.
Don Rodrigue					2 v.	60 v.	62 v.
Don Sanche							
Don Arias							
Don Alonse							
Chimène	17 v.						17 v.
Léonor		27 v.					27 v.
Elvire	41 v.						41 v.
Un page		1 v.					1 v.
Total des vers	58 v.	92 v.	86 v.	24 v.	30 v.	60 v.	350 v.

Exposition* :
– Rodrigue et Chimène s'aiment et espèrent se marier (sc. 1).
– L'Infante aime Rodrigue en secret (sc. 2).

Perturbation :
– Le Comte se dispute avec Don Diègue, qui a obtenu à sa place le poste de gouverneur, et le gifle (sc. 3).
– Don Diègue demande à son fils Rodrigue de venger son honneur (sc. 5) mais ce dernier risque alors de perdre Chimène, la fille du Comte.

* Cf. Lexique.

Acte II : la mécanique de la vengeance (390 vers)

PERSONNAGES	Sc. 1	Sc. 2	Sc. 3	Sc. 4	Sc. 5	Sc. 6	Sc. 7	Sc. 8	
Don Fernand						50,5 v.	11 v.	12,5 v.	74 v.
Doña Urraque			25,5 v.	1,5 v.	41 v.				68 v.
Don Diègue								38,5 v.	38,5 v.
Don Gomès	23 v.	26 v.							49 v.
Don Rodrigue		20 v.							20 v.
Don Sanche						17,5 v.			17,5 v.
Don Arias	23 v.					7,5 v.			30,5 v.
Don Alonse							3,5 v.		3,5 v.
Chimène			31,5 v.	3 v.				43 v.	77,5 v.
Léonor					10 v.				10 v.
Elvire									
Un page				1,5 v.					1,5 v.
Total des vers	46 v.	46 v.	57 v.	6 v.	51 v.	75,5 v.	14,5 v.	94 v.	390 v.

Nœud* de l'action :

– Rodrigue provoque Don Gomès (le Comte) en duel et le tue (sc. 2).

– L'Infante espère que cet événement va séparer les deux amants (sc. 5).

– Chimène demande au roi de châtier Rodrigue (sc. 8).

* Cf. Lexique.

Acte III : la disgrâce de Rodrigue (360 vers)

PERSONNAGES	Sc. 1	Sc. 2	Sc. 3	Sc. 4	Sc. 5	Sc. 6	
Don Fernand							
Doña Urraque							
Don Diègue					24 v.	51 v.	75 v.
Don Gomès							
Don Rodrigue	13,5 v.			78 v.		25 v.	116,5 v.
Don Sanche		15,5 v.					15,5 v.
Don Arias							
Don Alonse							
Chimène		4,5 v.	45,5 v.	73 v.			123 v.
Léonor							
Elvire	18,5 v.		10,5 v.	1 v.			30 v.
Un page							
Total des vers	32 v.	20 v.	56 v.	152 v.	24 v.	76 v.	360 v.

Péripéties* :

– Bien qu'éprise de vengeance, Chimène ne peut s'empêcher d'aimer l'assassin de son père (sc. 3).

– Leur amour est pour le moment inconcevable car immoral (sc. 4) : Rodrigue part combattre les Maures, au péril de sa vie.

* Cf. Lexique.

Acte IV : le retour du héros (364 vers)

PERSONNAGES	Sc. 1	Sc. 2	Sc. 3	Sc. 4	Sc. 5	
Don Fernand			30,5 v.	5,5 v.	52,5 v.	88,5 v.
Doña Urraque		38 v.				
Don Diègue				1 v.	23 v.	24 v.
Don Gomès						
Don Rodrigue			90,5 v.			90,5 v.
Don Sanche					4 v.	4 v.
Don Arias						
Don Alonse				1 v.		1 v.
Chimène	21,5 v.	28 v.			48 v.	97,5 v.
Léonor						
Elvire	20,5 v.					20,5 v.
Un page						
Total des vers	42 v.	66 v.	121 v.	7,5 v.	127,5 v.	364 v.

Fin des péripéties* :

– Rodrigue revient victorieux à la Cour ; on y célèbre le retour du Cid (sc. 3).

– Chimène demande réparation au roi, malgré son amour encore vivace pour Rodrigue (sc. 5).

Amorce du dénouement* :

– Don Sanche propose à Chimène de provoquer Rodrigue en duel pour la venger (sc. 5).

* *Cf.* Lexique.

Acte V : vers la réconciliation (376 vers)

PERSONNAGES	Sc. 1	Sc. 2	Sc. 3	Sc. 4	Sc. 5	Sc. 6	Sc. 7	
Don Fernand						12 v.	24 v.	36 v.
Doña Urraque		32 v.	23 v.				2 v.	57 v.
Don Diègue					2 v.			2 v.
Don Gomès								
Don Rodrigue	57,5 v.						30 v.	87,5 v.
Don Sanche					2,5 v.	18 v.		20,5 v.
Don Arias								
Don Alonse								
Chimène	42,5 v.			35 v.	15,5 v.	18 v.	12 v.	123 v.
Léonor			25 v.					25 v.
Elvire				25 v.				25 v.
Un page								
Total des vers	100 v.	32 v.	48 v.	60 v.	18 v.	50 v.	68 v.	376 v.

Dénouement* :

– Rodrigue a vaincu Don Sanche ; le roi lui donne la main de Chimène (sc. 6).

– Rodrigue repart au combat, afin de laisser Chimène faire son deuil (sc. 7) avant de l'épouser.

* Cf. Lexique.

Genèse, sources et réception de l'œuvre

De Médée au Cid

Depuis 1629, Corneille est un auteur de comédies à succès. Pourtant, en 1635, il s'essaie à la tragédie avec *Médée*, sujet antique traité par Euripide et Sénèque et qui constitue de fait un véritable défi pour le jeune auteur. Dans son *Examen* de la pièce en 1660 (lors de la réédition de ses *Œuvres complètes*), Corneille évoque les difficultés qu'il a éprouvées pour « amasser la force » nécessaire à l'écriture tragique. Le succès de *Médée* lui donne cependant l'assurance qu'il est capable de s'attaquer à ce genre noble. Ne lui reste plus qu'à trouver son prochain sujet.

Le choix du sujet

Dès la fin du XVIe siècle, grâce à *L'Histoire générale d'Espagne* de Louis de Mayerne-Turquet, on connaît en France les aventures de Rodrigo Diaz de Vivar, fameux chevalier espagnol du XIe siècle, dont de nombreux textes évoquent la beauté et la vaillance. Et dès 1619, Rodrigue est le héros du roman de François Loubayssin de La Marque, *Les Aventures héroïques et amoureuses du comte Raymond de Toulouse et de don Rodrigue de Vivar*.

Sans doute vers 1635, Corneille découvre ce héros à travers *Las Mocedades des Cid (Les Enfances du Cid)* de l'auteur espagnol Guillén de Castro. Dans cette comédie parue en 1631, Don Rodrigue est promu au rang de Cid Campeador (seigneur, batailleur) par le roi de Castille après une victoire contre les Maures et il épouse la fille d'un homme qu'il a tué – ce qui n'a rien de choquant au Moyen Âge.

Par ailleurs, la littérature espagnole est alors à la mode : Scudéry s'inspire, par exemple, d'aventures racontées par Juan de Flores pour écrire *Le Prince déguisé* en 1636 ; Rotrou puise chez Lope de Vega pour *Diane* ; et Corneille lui-même a déjà écrit *L'Illusion comique*, où il a mis en scène le fameux personnage de Matamore.

De plus, le goût de la romance, poème lyrique* narratif sur des personnages héroïques, est dans l'air du temps. Depuis le XVIe siècle, on en publie des recueils entiers exaltant les amours et les exploits chevaleresques.

Lors de la querelle du *Cid*, on accusera Corneille d'avoir plagié le texte d'origine. Mais il s'en défendra. Les auteurs ont puisé de tout temps dans la littérature antérieure, dans les formes comme dans les thèmes. Et le XVIIe siècle est loin de faire exception à la règle : les comédies empruntent à Plaute et à Térence, les tragédies à Sophocle et Euripide, La Fontaine emprunte à Ésope.

Corneille trouve dans cet épisode de la vie du Cid assez de grandeur pour le traiter sous l'angle dramatique* ; mais, si la matière est tragique (amour et héroïsme* sur fond historique), la fin, elle, sera heureuse.

Le contexte historique

Depuis 1635, la France est en guerre avec l'Espagne. Des conflits subsistent depuis le XVIe siècle et un parfum d'hispanophobie plane. Au moment où Corneille écrit *Le Cid*, les troupes espagnoles envahissent la France par le Nord et seuls le sang-froid et les talents de stratège de Richelieu permettent de repousser ces troupes. On a d'ailleurs rapproché la victoire de Rodrigue sur les Maures de celle de Richelieu sur les Espagnols.

De la même manière, Don Gomès n'est pas sans rappeler les nobles qui vont bientôt fomenter la Fronde (dès 1648) en

* *Cf.* Lexique.

remettant en cause le pouvoir royal. Rodrigue, par opposition, deviendra un sujet totalement dévoué au roi.

Par ailleurs, Richelieu, sur les traces d'Henri IV, a fait interdire les duels, héritages féodaux qui ont coûté la vie à trop de gentils-hommes. La justice doit désormais passer par un tribunal, même si les duels continuent d'exister de manière illicite. Il est intéressant de noter que, dans *Le Cid*, le premier duel a lieu contre la volonté du roi, alors que le second (Rodrigue et Don Sanche) se déroule avec l'accord exceptionnel du roi. Sans doute est-ce là un moyen de montrer que désormais la justice ne peut plus se faire en dehors du pouvoir royal.

Réception de l'œuvre

Lorsqu'il crée *Le Cid*, Corneille est déjà un auteur de renom. Il a connu le succès avec la comédie, la tragédie et la tragi-comédie, et Richelieu l'a sollicité pour faire partie de la Société des cinq auteurs.

La première représentation est donnée en janvier 1637, au théâtre du Marais. Le succès est immédiat, à tel point qu'on joue aussi la pièce à la Cour. Le public est séduit par la belle histoire d'amour et le code d'honneur qui anime Rodrigue mais aussi son père. Les ingrédients qui vont faire l'essentiel du succès de la tragédie classique se trouvent déjà dans cette pièce.

La querelle du Cid

Les raisons de la querelle sont essentiellement esthétiques mais on ne peut mettre de côté le contexte politique. Que penser d'une pièce qui montre les prestiges de l'Espagne alors ennemie de la France ? Boileau aurait dit : « *Quand* Le Cid *parut, le cardinal en fut aussi alarmé que s'il avait vu les Espagnols devant Paris.* »

Cependant, l'essentiel du problème se cristallise autour de l'aspect littéraire. Le succès de Corneille éveille naturellement des jalousies, notamment celles de Mairet et de Scudéry. Ceux-ci vont donc chercher ce qui, dans *Le Cid*, s'émancipe des règles* classiques. La querelle éclate en février 1637 et, en deux ans, plus de trente textes sont publiés, dont une dizaine attaquant violemment Corneille. Ce dernier se défend et va même jusqu'à affirmer sa supériorité sur ses rivaux, notamment dans un texte paru fin février 1637, l'*Excuse à Ariste* : « *Je ne dois qu'à moi seul toute ma renommée, / Et pense toutefois n'avoir point de rival / À qui je fasse tort en le traitant d'égal.* »

On accuse Corneille de plagiat, d'imposture (« *Que presque tout ce qu'il a de beautés sont dérobées* », dira Scudéry), et on déniche beaucoup de vers mal écrits. Par-dessus tout, on reproche à la pièce son caractère immoral et surtout le traitement qui est fait du personnage de Chimène, jugée « *scandaleuse, sinon dépravée* » (Scudéry). La situation est si conflictuelle que Scudéry réclame l'arbitrage de l'Académie française et Richelieu doit intervenir pour que la querelle s'apaise enfin.

Finalement, en décembre 1638, les académiciens publient *Les Sentiments de l'Académie sur « Le Cid »*. S'ils reconnaissent à la pièce beaucoup de qualités, ils n'en contestent pas moins qu'elle s'écarte des règles classiques (en présentant plusieurs lieux dans une même scène, par exemple) et que le personnage de Chimène est quelque peu immoral car « *son amour l'emporte sur son devoir* ».

Corneille tiendra compte de ces critiques et modifiera quelque peu son texte en 1648, 1660 et dans l'édition finale de 1682, mais, dès 1640, il rentrera dans le moule classique, avec sa tragédie *Horace* qu'il dédiera d'ailleurs à Richelieu.

* *Cf. Lexique.*

Après bien des débats, la querelle du *Cid* aura contribué à fixer les règles* du théâtre classique, puisque Corneille, mais aussi Molière et Racine s'y conformeront désormais.

* *Cf.* Lexique.

Le Cid, de la tragi-comédie à la tragédie

À l'origine, la tragédie antique

Le théâtre des XVIe et XVIIe siècles est marqué par une forte influence des sujets de l'Antiquité gréco-latine et notamment de la tragédie grecque qui naît et atteint son apogée dans la Grèce antique au Ve siècle av. J.-C., et disparaît en moins d'un siècle avec le déclin d'Athènes. C'est alors que se constituent ses grands principes.

Jouée pour les fêtes d'Athènes en l'honneur du dieu Dionysos lors de concours de dramaturges*, la tragédie a des origines religieuses. Elle emprunte ses thèmes aux grands mythes de dieux et de héros qui proposent des réponses symboliques aux interrogations de l'homme sur son destin et son organisation sociale.

Discours poétique joué et chanté, la tragédie suscite l'émotion et la réflexion par la représentation d'actions et de destins effrayants et le spectacle de la fatalité et de la démesure. Un chœur dialogue avec les personnages en chantant et dansant.

Les trois grands auteurs tragiques grecs sont Eschyle (525-456), avec sa trilogie *L'Orestie*, Sophocle (495-406), avec *Œdipe roi* et *Antigone*, et Euripide (480-406).

La tragédie latine se limite, au Ier siècle ap. J.-C., à l'œuvre du philosophe Sénèque (2-65), dont les sujets et l'art sont inspirés des tragédies grecques. Racine s'inspire d'Euripide dans *Iphigénie* et *Andromaque* et d'Euripide et Sénèque dans *Phèdre*.

* Cf. Lexique.

Au XVIᵉ siècle, la tragédie humaniste* et la tragi-comédie

Les humanistes redécouvrent la tragédie antique au XVIᵉ siècle, avec *La Poétique* d'Aristote (384-322), connue grâce à l'*Art poétique* du poète latin Horace (65-8), puis traduite dans la seconde moitié du XVIIᵉ siècle. Le genre tragique se développe alors avec l'engouement pour l'Antiquité. S'inspirant de Sénèque, Étienne Jodelle (1532-1573), avec sa *Cléopâtre captive* (1553), et Robert Garnier (1544-1590), avec *Sédécie ou les Juives* (1583), créent la « tragédie humaniste », aux registres pathétique* et lyrique* et qui ne touche qu'un public restreint. À la fin du siècle, on se tourne plutôt vers la pastorale et la tragi-comédie d'inspiration baroque*.

Le Cid : une tragi-comédie

Le Cid paraît en 1636 sous le nom de « tragi-comédie ». Avec son sujet espagnol, il rassemble beaucoup de thèmes caractéristiques de ce genre : amours contrariées de Chimène et Rodrigue, riches en péripéties* multiples ; menace des amours de l'Infante pour Rodrigue ; duels et meurtre du Comte ; combat contre les Mores ; mort prétendue de Rodrigue ; décors multiples de l'action ; dénouement* heureux. C'est toutefois une tragi-comédie simplifiée, qui ne présente pas trop de retournements et ne représente pas de scènes violentes. Ses personnages sont nobles et gravitent autour de la cour du roi, et les événements sont concentrés en vingt-quatre heures.

* *Cf.* Lexique.

Le Cid : une tragédie

Le problème des unités dans Le Cid

En 1648, et dans l'édition remaniée de 1660, Le Cid prend le nom de « tragédie ». Corneille, après la querelle du Cid, a apporté certaines modifications entre les deux versions, dans le traitement des règles*.

Si l'unité d'action réside bien dans l'amour menacé de Rodrigue et Chimène, l'amour malheureux de l'Infante représente une intrigue* secondaire greffée sur la première sans nécessité. Corneille a donc diminué le rôle de l'Infante pour simplifier l'action. En atténuant l'intrigue amoureuse, il déplace le sujet vers l'enjeu politique de la pièce qui devient plus central, comme il sied à la tragédie.

Le comportement de Chimène a été jugé impudique et contraire à la bienséance. Corneille répond en lui prêtant, en 1648, un langage amoureux moins violent et en reculant son mariage avec Rodrigue au-delà du dénouement*.

Le temps de l'action occupe à peu près vingt-quatre heures : querelle entre Don Diègue et le Comte et duel le premier jour, bataille contre les Mores pendant la nuit, assemblée chez le roi le lendemain. Cette concentration des actions peu vraisemblable a pu rendre plus choquante encore la rencontre entre Rodrigue et Chimène.

Les lieux sont jugés trop nombreux : place publique, palais du roi et maison de Chimène. Corneille justifie ce choix par le fait que Séville est une « espèce d'unité de lieu en général » et proteste contre la tyrannie de l'unité de temps.

* Cf. Lexique.

Le Cid ou l'émergence du héros cornélien

Corneille revendique le statut de tragédie pour *Le Cid* au nom de la terreur et de la pitié suscitées par le déchirement des héros entre le devoir et la passion et du caractère sublime de leur héroïsme*. On voit dans cette pièce l'émergence de l'héroïsme cornélien, quête douloureuse à travers une succession d'épreuves. Pour Rodrigue, la première épreuve qui révèle son courage héroïque est le duel contre le Comte invaincu jusque-là, qu'il va remplacer comme le Comte avait remplacé Don Diègue. La seconde est le sacrifice héroïque de l'amour dans les stances* qui expriment son renoncement à la possession amoureuse. Rodrigue sait pourtant qu'il doit venger son honneur pour être aimé de Chimène car leur conception commune de l'amour est héroïque. La dernière épreuve – le combat contre les Mores – montre la bravoure du héros au service de son roi. Rodrigue s'accomplit donc comme héros dans ces trois épreuves. Plus contesté a été l'héroïsme de Chimène : on a considéré comme immoral qu'elle tolère chez elle le meurtrier de son père, comme une faiblesse son refus de le tuer, et comme incohérente sa démarche auprès du roi. Pourtant, si Chimène est une femme et ne peut recourir aux mêmes moyens que Rodrigue, elle partage les mêmes exigences et le dit à plusieurs reprises. C'est par la complémentarité de la passion et du « ressentiment » qu'elle se montre à la hauteur de son amant et satisfait sa propre gloire (III, 4). Le quiproquo* final lui permet de faire éclater sa passion et de restaurer son honneur tout en la dégageant de son devoir de poursuivre Rodrigue.

Le Cid, une tragédie politique : la naissance de l'ordre monarchique

La tragédie classique mène, au XVIIe siècle, une réflexion politique sur la monarchie absolue. Depuis 1630, Richelieu tente

* *Cf.* Lexique.

d'imposer l'absolutisme royal à une noblesse féodale pour qui l'enjeu du duel est de défendre ses privilèges de caste en se faisant justice soi-même. Malgré son interdiction par plusieurs décrets, le duel reste un fléau qui prive le royaume de ses plus vaillants guerriers.

Corneille aborde, dans *Le Cid*, cette question brûlante, en montrant un grand seigneur qui brave l'autorité royale en souffletant le gouverneur nommé par le roi. Don Diègue, en poussant son fils à le venger, privilégie aussi l'honneur du clan sur l'intérêt collectif. Rodrigue, en vengeant son père, se montre fidèle aux valeurs de sa caste. Mais son combat contre les Mores fait de lui un nouveau type de noble qui concilie honneur et obéissance dans le service du prince. Chimène doit aussi s'incliner devant ce droit nouveau qui privilégie l'État. Corneille fut accusé à tort de glorifier le duel dans *Le Cid*, à cause des deux duels de la pièce. Mais l'importance des débats juridiques sur la légalité du duel, les arguments sages du roi condamnant cette pratique barbare, ainsi que l'absence de tout récit de duel, le seul combat narré étant celui contre les Mores, manifestent clairement la reconnaissance de la suprématie des lois de l'État, de sa justice et de son armée dans *Le Cid*.

La diversité des registres* dans Le Cid

Cette tragi-comédie présente au plan des registres une diversité importante : registres pathétique*, épique* et lyrique* caractérisent les grandes scènes du *Cid*.

Le pathétique correspond à l'une des visées du tragique : susciter la pitié pour la souffrance d'un personnage. La situation de Rodrigue et Chimène provoque la pitié et la crainte pour leur sort, dans les stances* (I, 6) où Rodrigue exprime son dilemme* et dans la scène où les amants se disent leur amour en même temps que leur douleur de devoir renoncer à son accomplissement (III, 4).

* Cf. Lexique.

Pathétique* est la situation de l'Infante, se consumant d'amour pour Rodrigue et disant son échec à lutter contre ce sentiment (II, 5). Don Diègue suscite aussi la pitié en clamant son impuissance et son désespoir de sa valeur passée et bafouée (I, 4).

Le registre lyrique* passe par l'expression des émotions intimes. Le duo d'amour, où s'exprime la plainte élégiaque* des deux héros (III, 4), est un modèle de scène lyrique.

Le registre épique* enfin vient de l'épopée qui glorifie les hauts faits de héros et contribue au sublime par les sentiments d'admiration éprouvés devant le courage héroïque d'un personnage. Le récit du combat du Cid contre les Mores est un véritable morceau de bravoure épique.

* Cf. Lexique.

Corneille, entre baroque et classicisme

Le baroque* et le classicisme, mouvements qui marquent le XVIIe siècle, entretiennent entre eux des rapports historiques et esthétiques complexes. L'œuvre de Corneille en porte la trace.

Le baroque

Définition

Le mouvement baroque représente une forme d'esthétique et de sensibilité artistique qui s'est exprimée dans tous les arts, et notamment en peinture et en architecture, de la fin du XVIe siècle au milieu du XVIIe siècle, à partir de l'Italie et dans toute l'Europe. Le baroque se caractérise par une sensibilité extrême à la transformation des êtres et des choses. Il souligne les mouvements et le flou, efface les frontières entre la vie et la mort, entre le rêve et la réalité, et voit le monde comme un théâtre et la vie comme une comédie. Il valorise l'inventivité artistique et la maîtrise de la complexité.

Les formes littéraires du baroque

Le baroque littéraire met l'accent sur la contradiction des sentiments et des situations et sur le mélange des registres*. Son style est marqué par l'exubérance des images, les métaphores*, les antithèses*. Le romanesque (avec *L'Astrée* d'Honoré d'Urfé), la préciosité et le burlesque sont des formes littéraires qui dérivent de la sensibilité baroque. Des genres dramatiques* liés à ce goût fleurissent dans la première moitié du siècle : la pastorale (notamment, Racan et Mairet), genre importé d'Italie avec des décors champêtres, un registre merveilleux, des bergers et des

Cf. Lexique.

chevaliers amoureux ; et surtout la tragi-comédie avec ses décors multiples, son mélange de tons, ses intrigues* romanesques divertissantes et complexes entre des personnages de haut rang, des enlèvements suivis de retrouvailles spectaculaires, son dénouement* heureux. La plus connue est *Bradamante* de Robert Garnier (1582).

Le classicisme

Le terme de « classique » n'est apparu qu'au XVIIIe siècle, sous la plume de Voltaire. Le classicisme caractérise traditionnellement les deux derniers tiers du XVIIe siècle. Il répond à une vision centralisée du monde voulue par Richelieu et Louis XIV. À l'opposé du baroque, il privilégie les réalités stables et universelles, les valeurs intemporelles. La recherche de la clarté, de la symétrie* et de l'harmonie est une constante de ces œuvres qui veulent refléter un idéal absolu de l'« honnête homme* », fait de raison et de maîtrise. Le « sublime » caractérise le sommet de l'émotion esthétique classique qui est l'apanage des gens cultivés. La langue française classique se fixe dans un idéal de perfection du style où règnent sobriété, naturel et élégance.

La tragédie classique au XVIIe siècle

Définition

À partir de 1630, se développe un genre noble, dit « tragédie régulière », qui commence à s'imposer dans l'art dramatique* sous l'impulsion de l'Académie française et qui reprend les caractéristiques de la tragédie établies par Aristote au IVe siècle avant Jésus-Christ : la *mimésis* (ou imitation de la nature humaine), la *catharsis* (ou purgation des passions), les parties de la tragédie et ses règles* de composition. Horace ajoute le

* *Cf.* Lexique.

décorum (bienséance) et l'*utile dulci* (nécessité de plaire en instruisant). La tragédie se différencie de la tragi-comédie par son public, la noblesse cultivée et raffinée. Ses sujets sont empruntés à l'histoire ancienne et aux mythes antiques. Pièce en cinq actes, écrite en alexandrins dans un style noble, elle met en scène des personnages illustres qui ne sont ni totalement bons, ni totalement mauvais. Elle présente des événements exceptionnels mais vraisemblables et le dénouement* d'une crise politique ou amoureuse dont l'issue presque toujours fatale conduit les personnages à leur perte. Elle vise à édifier le public en ne représentant les passions et le vice que pour montrer les désordres qu'ils provoquent et à susciter terreur et pitié par le spectacle des passions humaines et des catastrophes qui en découlent : c'est la *catharsis*. La représentation met en débat les conflits de l'homme avec les lois ou la légitimité du souverain, les questions politiques et religieuses qui préoccupent les hommes du XVIIᵉ siècle.

Les règles

Les règles ont pour but de concentrer l'intérêt du spectateur et de satisfaire au goût de la raison et de l'ordre. La règle de **vraisemblance** exige des personnages et des événements issus de l'histoire et de la mythologie, ainsi que la cohérence de l'action et des personnages. Celle de **bienséance** proscrit de la scène ce qui peut heurter la pudeur ou la sensibilité, comme les duels et batailles – ce qui oblige à leur substituer des récits. Selon la règle des **trois unités**, l'unité d'**action** concentre les intrigues* secondaires autour de l'intrigue principale ; l'unité de **temps** inscrit l'action tragique dans le cadre de 24 heures, transformant ainsi le temps tragique en moment de crise qui résulte de l'accumulation de facteurs extérieurs à la représentation ; enfin, l'unité de **lieu** impose un lieu neutre et propice aux rencontres – salle de palais pour la tragédie et place ou rue pour

* *Cf.* Lexique.

la comédie. Elle exclut la mise en scène des batailles. Cette doctrine sera théorisée par l'*Art poétique* de Nicolas Boileau en 1674.

Un théâtre de Cour

La règle d'or au théâtre est de « plaire et toucher » les esprits brillants de l'élite noble. Ce souci se manifeste par l'adoption d'une belle langue héritée de la préciosité policée, émouvante et pathétique*, mais aussi conforme à l'étiquette, aux usages de l'entourage royal où règne une politesse empreinte de solennité. On apprécie l'allégorie* qui permet de faire allusion à l'actualité de la Cour à travers personnages et situations mythologiques ou historiques. Les héros tragiques sont tous des grands de cette Cour avec leurs préoccupations majeures (l'amour et la politique), leurs valeurs fondées sur la gloire et le paraître, leurs mœurs où se mêlent cruauté et raffinement, et leur faiblesse réelle derrière leur grandeur apparente.

Corneille, entre baroque* et classicisme

On peut diviser l'histoire de la tragédie classique en trois périodes : le « premier classicisme » (1640-1660) est représenté par Corneille, le « classicisme épanoui » (1660-1685) par Racine, le « néoclassicisme » par Thomas Corneille ou Quinault à la fin du siècle, avec la tragédie galante et la tragédie lyrique*, et par Voltaire au XVIIIe siècle.

Corneille, grâce à sa longue vie et à son abondante production, traverse la période du baroque et les débuts du classicisme. Son théâtre a su capter les attentes diverses du public et les valeurs de son époque. Il s'adapte aux « mondains » amateurs de *L'Astrée*, des pastorales et des « nouvelles espagnoles » et

* *Cf.* Lexique.

friands de sujets d'actualité. Avant *Le Cid*, il a composé des comédies mondaines comme *Mélite* et *La Place Royale*. Sa première tragédie, *Médée*, sanglante et mouvementée, est d'influence baroque*, ainsi que sa comédie *L'Illusion comique*, qui passe sans cesse de la réalité au rêve à travers l'artifice du théâtre dans le théâtre, jusqu'au moment où les frontières se brouillent. Mais Corneille a appris à intégrer aussi les exigences des « doctes » académiciens dans ses tragédies historiques et héroïques, dont l'orientation morale et politique est conforme aux attentes du pouvoir. *Le Cid* est une pièce charnière dont la cabale manifestera la tension entre ces deux publics.

Corneille et Racine, théoriciens de la tragédie classique

Corneille devient le premier professionnel de la littérature en composant, à propos du *Cid*, une théorie de l'art dramatique* dans « Trois discours sur le poème dramatique de 1660 », où il justifie l'évolution de sa conception du théâtre du baroque à un classicisme plus régulier. Rebelle d'abord aux règles*, il les maîtrise progressivement avec *Horace*, *Cinna* et *Polyeucte*, qui forment avec *Le Cid* une « *tétralogie du sublime* ». Ses héros, généralement séparés par une situation tragique, parviennent, grâce à leurs combats, à dépasser cette situation en forçant l'admiration du spectateur, après avoir suscité la crainte et la pitié. La structure de ses tragédies accumule les obstacles* et produit une situation bloquée jusqu'au dénouement* où l'intrigue* se retourne tardivement et soudainement.

Racine, connu dès 1667 avec le succès d'*Andromaque*, continuera à défendre, de 1664 à 1677, les théories de Corneille et résumera ses règles* dramaturgiques dans ses préfaces : ne pas peindre des héros parfaits (préface d'*Andromaque*), observer la

* *Cf.* Lexique.

vraisemblance (préface de *Britannicus*), imiter les Anciens (préface d'*Iphigénie*), respecter la morale (préface de *Phèdre*). *Phèdre* marque, en 1677, le sommet de son art et peut-être de l'esthétique classique.

Mises en scène

Tout comme *L'Illusion comique* un an plus tôt, *Le Cid* fut créé au théâtre du Marais par la troupe de Mondory. Le comédien s'était d'ailleurs octroyé le rôle principal, à plus de 45 ans, tandis que La Villiers jouait Chimène et La Beauchâteau l'Infante.

Dès sa création, la pièce eut un succès retentissant mais essuya aussi de violentes critiques, comme celle de Mlle de Scudéry qui écrivit dans ses *Observations sur « Le Cid »* : « *Que le sujet n'en vaut rien du tout, / Qu'il choque les principales règles du poème dramatique, / Qu'il manque de jugement en sa conduite, / Qu'il a beaucoup de méchants vers, / Que presque tout ce qu'il a de beautés sont dérobées, / Et qu'ainsi l'estime qu'on en fait est injuste* » (avril 1637).

Les critiques cependant n'eurent pas raison du succès de cette tragi-comédie, si bien qu'« *on ne se pouvait lasser de voir cette pièce, on n'entendait autre chose dans les compagnies, chacun en savait quelque partie par cœur, on la faisait apprendre aux enfants et, en plusieurs endroits de la France, il était passé en proverbe de dire : Cela est beau comme* Le Cid » (Pellisson, *Relation contenant l'histoire de l'Académie*, 1653).

Le succès du *Cid* ne s'est pas démenti au fil des siècles, et c'est d'ailleurs la pièce de Corneille la plus jouée à la Comédie-Française.

Jean Vilar

En 1948, quand Jean Vilar demanda à Gérard Philipe d'interpréter Rodrigue, celui-ci éclata de rire et répondit : « *Moi ? Jouer Rodrigue ? Y pensez-vous vraiment ? Je ne saurai jamais, je ne suis pas fait pour la tragédie.* » Mais il accepta finalement et *Le Cid*, mis en scène par Jean

Vilar, fut interprété par les comédiens du T.N.P. au Festival d'Avignon le 15 juillet 1951.

La veille de la première, Gérard Philipe vécut si intensément la dernière répétition qu'au moment de sortir de scène, il se trompa de côté et fit une chute de 2,50 m qui fut amortie par l'épaisseur du costume qu'il portait. En se relevant tant bien que mal, et malgré une blessure au genou, Gérard Philipe affirma à la cantonade que tout allait bien et qu'il jouerait Rodrigue le lendemain. Il le fit en effet, mais assis dans un fauteuil.

En 1960, Georges Léon rapporta la scène suivante :

J'étais dans la loge de Gérard Philipe à Suresnes, tandis qu'on l'interviewait pour la radio. Il venait de jouer Le Cid. Sur sa table de maquillage traînait une édition scolaire de Corneille, presque hors d'usage. [...]

– Eh bien, mes chers auditeurs, disait la « représentante de la presse parlée », je voudrais maintenant poser une autre question à Gérard Philipe. Nous avons tous été surpris par le non-vieillissement de cette pièce qui a pourtant été écrite il y a trois siècles. Le Cid a gardé une étonnante jeunesse. Voulez-vous dire, Gérard Philipe, à quoi vous attribuez cette jeunesse encore actuelle du Cid ?

Il n'y eut pas un cinquième de seconde de « blanc ». La sobre et décisive réponse de Gérard Philipe jaillit sans que sa figure se soit départie de son impassibilité :

– À Pierre Corneille, Madame. »

Gérard Philipe. Souvenirs et témoignages,
recueillis par Anne Philipe et présentés par Claude Roy, Gallimard, 1960.

Francis Huster

Francis Huster, comédien et metteur en scène né en 1947, interpréta d'abord le rôle du Cid alors qu'il était jeune sociétaire de la Comédie-Française. Puis, en 1985, il mit en scène *Le Cid* au théâtre du Rond-Point, avec Jean Marais dans le rôle de Don Diègue et lui-même dans le rôle-titre. La mise en scène était sobre et les costumes des personnages nous plongeaient au cœur de l'époque de Corneille, comme l'explique la costumière, Dominique Borg :

**Rodrigue (F. Huster) et don Diègue (J. Deschamps)
dans la mise en scène de F. Huster (Marigny, 1994).**

Dès les premières entrevues avec le metteur en scène, les dés sont jetés et le style et l'époque sont déterminés par l'esprit du spectacle. Francis et moi, ainsi que Pierre-Yves Leprince, sommes très vite tombés d'accord pour choisir comme terrain de jeu le siècle de Corneille, avec tous les courants, toutes les influences qui l'ont traversé, tel qu'il nous parvient aujourd'hui.

Le premier travail est toujours pour moi cette introspection dans un temps, et la quête de ce qui me touche, m'émeut, dans les documents, les tableaux d'une époque : l'ombre d'une dentelle sur un visage, l'harmonie d'un accord parfait entre deux matières, la forme particulière d'un tissu, d'un bijou.

Créer les costumes d'un spectacle, c'est donner à la pièce, au travail théâtral son reflet. C'est un rôle délicat à tenir. Faire entrer l'acteur dans notre rêve, imposer notre vision n'est pas toujours facile. Habiller le corps immatériel d'un personnage permet toutes les audaces, vêtir le corps d'un interprète du même costume est souvent une épreuve. Contraindre à porter un corset, une perruque celui ou celle qui, au cours des répétitions, cherchait en toute liberté des gestes, des postures qui lui sont désormais interdits, cela rend certains acteurs prisonniers comme l'oiseau en cage ou le chien en laisse. Il faut réapprendre à bouger, à marcher autrement. On ne devient pas infante d'Espagne, roi ou courtisan, on ne passe pas du xxe siècle au xviie siècle sans que la mutation soit douloureuse. Mais, si l'acteur sort victorieux, il ne portera plus son costume comme un fardeau, mais c'est le costume qui le portera, ce sera son « habit de lumière », tel le torero qui entre dans l'arène vêtu pour la parade, pour le combat, afin de défendre sa vie, son art.

Dominique Borg, « Costumes pour "un" *Cid* »,
Cahiers Renaud-Barrault, 18 novembre 1985.

Thomas Le Douarec

Jeune metteur en scène né en 1970, Thomas Le Douarec crée sa propre compagnie à seulement 21 ans et monte nombre de spectacles qui laissent déjà apparaître sa double passion pour la musique et le théâtre. C'est avec beaucoup d'audace qu'il crée en février 1998, au théâtre de la Madeleine, cette version flamenco du *Cid* qui, malgré quelques critiques, connaîtra un très grand succès, restant à l'affiche à Paris pendant plus de deux ans.

Ébranler les alexandrins du *Cid* reste une entreprise périlleuse et, si certains ont pu critiquer une scansion pas assez académique et quelques libertés prises par rapport au texte de Corneille (le personnage de l'Infante disparaît), nombreux sont ceux qui ont vu dans cette mise en scène un nouvel éclairage d'une œuvre par trop connue, lue et étudiée.

Comment mettre en scène une configuration culturelle d'ores et déjà passée au crédit du mythe et des récitations scolaires ? Au rythme des guitares andalouses, la couche de Rodrigue cède le pas à la litière de la bête : le Cid est dans l'arène. Dans la fureur et dans le bruit du flamenco, la pièce mise en scène par Thomas Le Douarec ouvre le compas sur deux extrêmes : vie du public, sacrifice et mort des idées reçues, en proposant la figure intégratrice et magique du rire, du chant et de la danse.

Mireille Bourreil, fluctuat.net, 8 novembre 2000.

Jules Massenet

Après le succès de *Manon* (1884) et quelques années avant celui de *Werther* (1892), le compositeur Jules Massenet (1842-1912) crée, le 30 novembre 1885, à l'Opéra de Paris, *Le Cid*, d'après la pièce de Corneille. Cet opéra est découpé en quatre actes et dix tableaux et le livret a été écrit par MM. Ad. d'Ennery, L. Gallet et Ed. Blau. La trame de Corneille est globalement respectée par les librettistes mais la fin est plus éclatante. Rodrigue est certes acclamé à son retour de la guerre mais Chimène refuse de lui pardonner ; il feint alors de vouloir se tuer sous ses yeux et la jeune femme l'en empêche, en avouant publiquement son amour pour le Cid, dans la liesse générale.

RODRIGUE *et* CHIMÈNE
Serment d'amour, promesse éternelle,
Je t'accepte ! Ô mon Rodrigue ! (Ma Chimène !)

L'INFANTE, LE ROI *et* DON DIÈGUE
Ils sont heureux ! Ils sont heureux !

CHIMÈNE
Je suis à toi !
Ah ! Pour toujours, je suis à toi !

RODRIGUE
Sois donc à moi !
Ah ! Pour toujours, toujours à moi !
(Fanfares et cloches.)

LA FOULE
Gloire au Cid ! Gloire au vainqueur !
Gloire au vainqueur !

Alfred Bruneau (1857-1934), compositeur et surtout critique musical, grand ami de Zola, raconte que Massenet, craignant les critiques, n'assistait pas aux premières de ses opéras. Ainsi, le soir où *Le Cid* fut créé, Massenet préféra assister à la 80e représentation de *Manon* à l'Opéra-Comique mais, « *malgré son calme apparent, il était soucieux* ». Aussi, « *Manon achevée, une force irrésistible l'entraîna vers* Le Cid. *Il arriva devant le Palais-Garnier lorsque la foule en sortait. Se cachant, il écouta les propos désolants de quelques gens hostiles, puis il aperçut Mme Krauss qui, l'ayant reconnu, s'élança, l'embrassa, cria : "C'est un triomphe !" Elle ne l'avait pas trompé. Blotti dans mon petit coin habituel du meilleur couloir, je suivis la représentation, d'autant plus étincelante que Ritt et Gaillard, successeurs de Vaucorbeil, tenaient à bien faire. Fidès-Devriès et Bosman, Jean et Édouard de Restzké, Rosita Mauri formaient une distribution incomparable.* » Et Bruneau d'ajouter : « *Est-il possible d'oublier l'amoureuse phrase de Rodrigue, le tendre duo de celui-ci et de Chimène, le radieux ballet et sa frénétique Aragonaise, interprétés comme ils le furent ?* » (*Massenet*, « Les grands musiciens par les maîtres d'aujourd'hui », Delagrave, 1935).

Depuis, de brillants interprètes ont prêté leur voix aux héros du *Cid*, comme Placido Domingo dans le rôle éponyme* ou encore Maria Callas dans celui de Chimène...

216

* Cf. Lexique.

Lexique d'analyse littéraire

Allégorie Métaphore représentant une notion abstraite et générale sous la forme, le plus souvent, d'un être animé.

Antithèse Figure de style qui consiste à rapprocher deux expressions contraires de façon à mettre leur opposition en valeur par un double effet de symétrie et de contraste.

Argumentative (Stratégie –) Organisation des arguments et des raisonnements en fonction d'une conclusion finale pour convaincre un destinataire : les grandes stratégies argumentatives consistent à exposer une thèse et la justifier, à réfuter une thèse adverse et à concéder à la thèse adverse.

Assertive Voir *Phrase (Type de –)*.

Baroque Du portugais *barocco* (« perle irrégulière »), est d'abord employé pour l'architecture et étendu à tous les arts, y compris la musique. Ce mot désigne une période (1580-1650) et un style regroupant des œuvres du XVIe et du XVIIe siècle qu'on oppose aux œuvres « classiques ». Ses thèmes dominants sont le spectaculaire, le mouvement, l'instabilité et l'illusion. Le motif de la métamorphose, les figures de la métaphore et de l'allégorie y sont privilégiés.

Délibératif Catégorie de discours issue de la rhétorique grecque qui consiste à envisager différentes possibilités afin d'aboutir à un choix personnel et argumenté. Dans le monologue délibératif, le héros confronté au dilemme en cherche la solution en délibérant avec lui-même. Les deux autres types de discours de la rhétorique antique sont l'épidictique (but : louer ou blâmer) et le judiciaire (but : accuser ou défendre).

Dénouement Fin d'une pièce où se résout le nœud de l'intrigue après la disparition des obstacles. Il fixe le sort des personnages principaux.

Didascalie Tout ce qui n'est pas dit par l'acteur dans un texte de théâtre : indications scéniques, indication des noms des personnages ainsi que des conditions d'énonciation spatio-temporelles.

Dilemme Choix impossible ou très difficile à faire.

Dramatique Qui est propre à l'action théâtrale.

Dramatique (Action –) Enchaînement logique des événements mis en œuvre dans une représentation théâtrale.

Dramatique (Ressort –) Éléments dans une pièce qui suscitent la tension dramatique : exacerbation des passions, accumulation des effets de surprise et progression de la construction dramatique.

Dramaturge Auteur dramatique.

Dramaturgie Étude de la construction du texte de théâtre ainsi que de l'écriture de la représentation.

Élégiaque Dérivé de l'élégie, chant de deuil destiné à pleurer la perte d'un être cher. Registre poétique mêlant tendresse, plainte et mélancolie.

Énoncé Texte oral ou écrit produit par un locuteur.

Énonciatif (Système –) En relation avec les indices de l'énonciation présents dans un texte, on distingue, selon Benveniste, deux systèmes énonciatifs. 1. L'énonciation de *discours* quand le texte s'organise en étant ancré dans la situation d'énonciation : indices spatio-temporels et pronoms renvoyant au lieu et au moment de la communication (*je, tu, ici, demain*), système verbal au présent, passé composé et futur, marques de subjectivité du locuteur. Les genres concernés sont la conversation, la lettre, la poésie lyrique, l'autobiographie, etc. 2. L'énonciation du *récit* quand les faits sont coupés de la situation d'énonciation : repérage spatio-temporel relatif au récit (*ce jour-là*), système temporel centré sur le passé simple, l'imparfait et le plus-que-parfait, pronoms de la 3e personne et effacement du locuteur. Les genres concernés sont le roman, la nouvelle, le conte. Il existe des formes mixtes qui associent ces deux systèmes énonciatifs : dialogues ou commentaires dans un roman, récits autobiographiques au passé simple, etc.

Énonciation Acte par lequel est produit l'énoncé dans une situation précise, par un locuteur et pour un destinataire. La situation d'énonciation répond aux questions : « Qui parle ? », « À qui ? », « Comment ? », « Quand ? » et « Où ? ». On repère les indices d'énonciation ou marques de cette situation dans l'énoncé.

Énonciation (Double –) Tout énoncé dans le dialogue théâtral a deux émetteurs – l'auteur et le personnage auquel il a délégué sa voix – et deux récepteurs – son interlocuteur et le spectateur qui est aussi présent à l'échange.

Épique Voir *Registre*.

Éponyme Qui donne son nom (un personnage au titre d'une œuvre, par exemple).

Exposition Début d'une pièce de théâtre qui donne les informations nécessaires au spectateur sur le lieu, le temps, l'action, et qui présente les personnages et leurs projets.

Figure (de style) Procédé d'expression par lequel, en s'écartant de l'usage normal de la langue, un auteur cherche à produire un effet sur son lecteur. On distingue les figures d'insistance (symétrie et parallélisme), de substitution (litote, antiphrase, périphrase), d'opposition (antithèse) et d'analogie (métaphore).

Héroïsme Dans la tragédie classique, le héros est toujours de condition illustre. Déchiré entre le sublime et l'humain, confronté à un dilemme sans issue, souvent écrasé par le destin, il se montre capable d'erreur et pourtant digne de pitié. Il vise à une forme de dépassement et revendique sa liberté dans un combat dont il sort grandi. C'est dans ce cheminement douloureux que réside l'héroïsme dans la tragédie.

Hétérométrie Combinaison de vers (de mètres) de longueur variée. S'oppose à *isométrie* (ou combinaison de vers de longueur égale).

Homme (Honnête –) Idéal d'homme propre au XVIIe siècle. Homme du monde agréable et distingué par les manières et par l'esprit, qui se conforme aux règles de la morale mondaine.

Humanisme Mouvement de pensée marqué, dans l'Europe de la Renaissance, par un retour aux sources gréco-latines de la civilisation occidentale et aux textes évangéliques et par la recherche d'un idéal humain d'ouverture, de culture universelle et de tolérance. Érasme, Rabelais, Montaigne et les poètes de la Pléiade ont représenté et illustré ce mouvement.

Humaniste Voir *Humanisme*.

Intrigue Enchaînement logique d'actions et d'événements qui forment la trame d'une pièce de théâtre et permettent à l'action d'avancer.

Lexical (Champ –) Ensemble de termes associés à une même notion ou un même thème.

Lyrique Voir *Registre*.

Métaphore Figure de style d'analogie : désignation d'une chose (le comparé) par le nom d'une autre qui présente un rapport d'analogie avec elle (le comparant).

Métrique Règles de versification concernant le *mètre* (ou mesure du vers) : compte des syllabes, groupes rythmiques.

Monologue Du grec *monologos* (« qui parle seul »), discours d'un personnage de théâtre qui est ou se croit seul sur scène et qui s'adresse à lui-même ou à un interlocuteur imaginaire.

Nœud Relation qui s'établit entre la volonté du héros et les obstacles qui s'opposent à sa concrétisation. Sans obstacle, pas de nœud.

Obstacle Ressort de l'action dramatique, il peut être extérieur si la volonté du héros se heurte à celle d'un autre personnage ou intérieur si son malheur vient d'un sentiment ou d'un conflit interne.

Pathétique Registre qui désigne les sentiments éprouvés par les spectateurs devant les malheurs des personnages. La terreur et la pitié sont, selon Aristote, les ressorts du pathétique.

Péripétie Coup de théâtre qui modifie soudainement la situation en apportant un élément nouveau ; moment clé où l'action se retourne et court au dénouement.

Phrase (Type de –) Catégorie qui correspond aux intentions du discours (ou modalités) : le type d'une phrase peut être déclaratif ou assertif (exprime une certitude), injonctif (exprime un ordre), interrogatif (exprime un questionnement) ou exclamatif (exprime une attitude affective du locuteur à l'égard de son énoncé), et vient se surajouter aux trois autres.

Protagoniste Acteur qui a un rôle principal.

Quiproquo Méprise ou erreur d'un personnage sur une personne ou une situation. Il s'agit souvent d'un faux obstacle que le héros prend pour un vrai. Le quiproquo repose aussi sur la supériorité du spectateur qui possède la clé de ce malentendu.

Registre Manifestation dans le langage de l'émotion produite par un texte sur la sensibilité du lecteur : émouvoir, faire pleurer (registre pathétique), exprimer ses sentiments personnels (lyrique), exprimer et provoquer de la peur (fantastique), critiquer sérieusement (polémique), critiquer plaisamment (satirique et ironique) faire rire (comique), amplifier un événement (épique). Les registres sont en relation avec un genre : comédie et registre comique, épopée et registre épique, poésie lyrique et registre lyrique. Mais ils peuvent être présents dans d'autres genres : registre comique dans un poème.

Règles Pour persuader le spectateur qu'il assiste à une « action » véritable, selon le principe d'imitation *(mimésis)* d'Aristote, le théâtre classique doit obéir à certaines règles : unités d'action, de lieu, de temps (24 heures), vraisemblance, bienséance (consistant à interdire la représentation sur scène de ce qui peut choquer la morale ou le bon goût).

Réplique Toute prise de parole dans le dialogue théâtral.

Rhétorique Art de la parole issu des pratiques judiciaires et politiques de l'Antiquité grecque, qui envisage toujours la parole comme entreprise de conviction.

Rythme, rythmique (Schéma –) Organisation du rythme d'un vers selon l'accent rythmique, la coupe et la césure, ou d'un groupe de vers selon les enjambements, rejets et contre-rejets.

Stances Forme de monologue lyrique dont la structure poétique présente une suite de strophes hétérométriques, terminées chacune par une chute, avec une seule idée par strophe.

Stichomythie Dialogue composé de courtes répliques de même longueur où chacune s'oppose à la parole de l'interlocuteur.

Symétrie (Effet de –) Correspondance ou similitude dans un texte entre deux termes ou deux constructions de phrases ou de vers.

Tirade Longue réplique d'un personnage, toujours très organisée.

Versification Ensemble de règles qui régissent le vers régulier : types de vers et organisation des strophes, longueur des vers, catégories de rimes et de sonorités, rythme du vers.

Bibliographie, discographie, filmographie

Bibliographie

Œuvres de Corneille

– Corneille, *Œuvres complètes*, Garnier-Flammarion, 1980 (t. II : *Horace, Cinna, Polyeucte*).
– Corneille, *Le Cid*, « Le Livre de Poche », L.G.F., 2001.
– Corneille, *Le Cid*, coll. « Classiques Hachette », Hachette, 1991.
– Corneille, *L'Illusion comique*, coll. « Bibliolycée », Hachette, 2003.

Sur Corneille et son œuvre

– Alain Couprie, *Pierre Corneille, « Le Cid »*, coll. « Études littéraires », P.U.F., 1989.
– Serge Doubrovsky, *Corneille et la Dialectique du héros*, coll. « Tel », Gallimard, 1982.
– Georges Forestier, *Le Cid*, coll. « Textes et Contextes », Magnard, 1988.

Pour mieux comprendre le théâtre classique

– Christian Biet, *La Tragédie*, Armand Colin, 1997.
– Alain Couprie, *Le Théâtre*, coll. « 128 », Nathan Université, 1995.
– Georges Forestier, *Introduction à l'analyse des textes classiques,* coll. « 128 », Nathan Université, 1993.
– Michel Pruner, *L'Analyse des textes de théâtre*, coll. « 128 », Nathan Université, 2001.
– Jacques Scherer, *La Dramaturgie classique en France*, Nizet, 1962.

Pour mieux comprendre le contexte de l'œuvre

– Paul Bénichou, *Morales du grand siècle*, Gallimard, 1948.
– La Fontaine, *Fables*.
– La Bruyère, *Les Caractères*, coll. « Bibliolycée », Hachette, 2004.
– Molière, *Théâtre complet*, « Le Livre de Poche », L.G.F. *(L'École des femmes, Dom Juan, Le Misanthrope, Le Tartuffe)*.
– Molière, *Dom Juan*, coll. « Bibliolycée », Hachette, 2002.
– Racine, *Théâtre complet*, « Le Livre de Poche », L.G.F. *(Andromaque, Phèdre, Iphigénie, Britannicus)*.
– Racine, *Phèdre*, coll. « Bibliolycée », Hachette, 2002.
– Racine, *Britannicus*, coll. « Bibliolycée », Hachette, 2003.

Discographie

– Coffret « Corneille », *Horace, Cinna, Polyeucte, Nicomède, Le Cid*, 10 CD, Comédie-Française.
– *Le Cid*, 2 CD, T.N.P., 1955, Hachette, Audivis, 1988.
– *Stances du « Cid »*, Gérard Philipe, 1946, CD et cassette.
– « Grandes Scènes d'amour du théâtre français » : *Le Cid, Bérénice, Le Misanthrope, Le Jeu de l'amour et du hasard, Ruy Blas, Cyrano de Bergerac*, 1 CD, Audivis, 1988.
– *Le Cid*, deux 33 tours, coll. « Vie de théâtre ».

Filmographie

– *Le Cid* d'Anthony Mann (1961), avec Charlton Heston dans le rôle de Rodrigue et Sophia Loren dans celui de Chimène.

Dans la même collection :

Imprimé en Italie par

LA TIPOGRAFICA VARESE
Società per Azioni
Varese
Dépôt légal: 48960-08/2005
Édition : 01
16/9121/1